Pomarli

Waldemar Bawołek

Pomarli

wydawnictwo czarne

Wołowiec 2020

Projekt okładki Agnieszka Pasierska / Pracownia Papierówka
Projekt typograficzny i redakcja techniczna Robert Oleś / d2d.pl
Ilustracja na okładce: *Nuty*, haft na płótnie, 18 × 13 cm, 2014;
© by Paulina Lignar

Redakcja Ewa Polańska
Korekta Justyna Żebrowska / d2d.pl, Iwona Łaskawiec / d2d.pl
Skład pismem Minion Pro Robert Oleś / d2d.pl

Książkę wydrukowano na papierze Ecco-Book Cream 80 g/m², vol. 2,0,
dystrybuowanym przez firmę Antalis Sp. z o.o.

ISBN 978-83-8049-972-0

I

Numer 52:

pani Genowefa Stępniowska
odeszła w wieku 86 lat

Od dziecka pamiętam ją, jak stoi pośrodku ogródka, a ja
kłaniam się, gdy podchodzi do siatki okolonej drutem
kolczastym i pyta, co u babci, czy odrobiłem lekcje, żebym dwójki w szkole nie oberwał, bo religii należy się
uczyć, modlić się należy, ona ciągle się modli, pochyla, by
wyrywać chwasty, robić porządki w ziemi, żeby rośliny
mogły oddychać, niekiedy wołała mnie do ogrodzenia,
by mi podać poćwiartowanego pomidora posypanego
cukrem, słodziutkiego, że aż ślinka cieknie. Pani Stępniowska już tam jest, na scenie, z aptekarską dokład-
nością pieli grządki, sama zresztą pracuje na zapleczu
apteki – w granatowym chałacie przyrządza przeróżne
mikstury. Ale to kiedyś tak się rozpraszała, bo dzisiaj już
nie żyje. Przez kilka lat nie ruszała się z łóżka, że tylko
zapomnieć o niej. Ale nie ja. Bo gdy tylko przechodzę
obok jej ogrodu, widzę ją, jak przedziera się przez gąsz-
cze przeszłości, kręte i zawiłe ścieżki. Wygląda jak Egga
van Haardt, którą tak pięknie Schulz swego czasu opi-
sał. To się pochyla, to kuca, raz zauważa przechodniów,

innym razem nie. Kwiaty i ptaki, chmury pędzące po niebie, słychać stuk dzięcioła, śmiech wiatru, połyskiwanie kropelek rosy. Jak to uchwycić, jak przyswoić? Cukinie, strączki groszku cukrowego i fasolki. Pachnie wszystko w ogródku pani Stępniowskiej, pląsa i śpiewa o osach i motylach, o wiewiórkach i trzmielach. Widzę siebie i panią Stępniowską, chłopców widzę i dziewczyny, jak gramy w państwa-miasta. Każdy chciał być Ameryką, jakimś krajem zachodnim, choć byli i tacy, którzy wcielali się w Związek Radziecki. Ulica pusta, cicha, nami wypełniona, można było bez obaw rzucać patykami, odliczać, skakać i zwyciężać. A jakby co, to wiać do uliczki, wskoczyć do leszczyny, schować się, żeby nikt nie znalazł, nie odczytał myśli, nie odebrał marzeń. To był wysiłek porównywalny z wizytą w wielkiej bibliotece ze słowami. Niech będzie pochwalony buk zielony, piękność, świeżość zieloności i niebiańskości. Na podwórku kury dziobią pszenicę, wszędzie wokół różne odchody, trzeba się namęczyć, by nie wdepnąć w kupę, nasrane, że hej, pobrudzić czółenka, mokasyny najłatwiej, gdy się nie patrzy pod nogi i biegnie na oślep dla osiągnięcia pełnej harmonii między rytmem oddechu a pracą całego ciała bądź to poszczególnych mięśni. Dostrzega się również niuanse polegające na przyjmowaniu precyzyjnych postaw charakteryzujących się prawidłowym ułożeniem stóp. A wszystko to, żeby pani Stępniowska nas nie dostrzegła, żeby jej nie niepokoić, bo przecież mogłaby się zdenerwować i zacząć na nas wrzeszczeć. Nie zawsze była miła, nie zawsze częstowała malinówkami. Niekiedy, próbując zmylić wroga, biegła na cmentarz, przekonana, że tam otaczają ją tylko wszyscy umarli z naszej ulicy. A te strzelania z karbidu doprowadzały ją do wściekłości, nie dawały wytchnienia. Podczas naszych wojen nie mogła spokojnie wyrywać chwastów, podlewać róż czy pielęgnować kalarepy. Rzucanie kamieniami także mogło skończyć się jakimś nieszczęściem. Mój brat zawsze był skłonny do płaczu. Pani Stępniowska nieraz musiała go uspokajać, a on nic, tylko wlókł się na samym końcu i beczał nie wiadomo o co. Przecież nikt nie robił mu na złość. Najwyżej ktoś spojrzał na jego buty, na jego sweterek z dziurą pod pachą. Sklamrzał tak niesamowicie, że nie było gdzie podziać oczu. Starania pani Stępniowskiej na nic się zdawały.

Wizje się mnożą, widzę brata z drewnianą łyżką do jajecznicy, pachnącego igliwiem i nadciągającym deszczem, w zaciszu ogrodu pani Genowefa gładzi mu włosy, podaje łyżeczkę rozkosznego nektaru na pocieszenie, ja także życzę sobie szczypty krańcowo różnych kategorii piękna i kolejnego objawienia. Widzę, jak się kłócimy, jak błądzimy po górach, chce mnie uderzyć, w ciągu kilku sekund zapominam, jak brat płacze, przegrałem wyścig z podstępną pogodą i usta mi zsiniały. I przypomina mi się, jak cię odpycham i uciekam przed twoim krzykiem, ale z południa nadciąga już burza i wiem, że będziesz chciał, bym cię przed nią uchronił, wziął cię na barana i popędził do domu, lecz ja też boję się piorunów.

Mimo to rozpędziłem się, z górki na pazurki, wprawienie ciała w ruch potęguje wrażenie piękna, ponieważ ono tkwi również w dynamice, płynności oraz elegancji biegu. Biegnijmy więc do gospody, napijemy się czegoś zimnego. Pozwólmy pani Stępniowskiej udać się na spoczynek, zapewne ona także odczuwa pragnienie.

Dzwony się rozszalały na kościele, a że widać z balkonu karczmy jego wieżę – szumi w uszach, brzęczy w głowie. Dźwięk niesie się po okolicy. Dzwonienie dochodzi aż z Odporyszowa, Porąbki Uszewskiej i Tuchowa. Wszędzie ołtarze, monstrancje, dziewczynki z koszyczkami pełnymi płatków róż. Barman podszedł do drzwi balkonowych, by je zamknąć. Zapytał tylko, czy zostajemy, bo jak co roku w Boże Ciało zamyka drzwi i okna, od środka zamyka wszystko, co się da zamknąć. Chce nas uwięzić, zaaresztować na nasze życzenie. A kto został? Może dwie, trzy osoby. Nie, nie bezbożnicy, tylko ludzie skacowani, którzy nie znieśliby procesji, kac by ich powalił przy pierwszym uklęknięciu. Jednemu chce się palić, zapaliłby całego, co z tego, drzwi zamknięte, sklepy pozamykane, procesja dopiero co ruszyła spod kościoła. Wszyscy będą musieli się zatrzymać przed każdym z czterech ołtarzy wybudowanych specjalnie na ten dzień, by ksiądz mógł przy nich odprawiać modły.

Palić się chce, pić także. Staję przy oknie i spoglądam zza fikusa, by nikt z procesji mnie nie zauważył. Popatruję, liczę, rozpoznaję znajomych, nasłuchuję, orkiestra strażacka gra, płatki róż wirują w powietrzu, niektóre zapewne zerwane w ogrodzie pani Stępniowskiej. Proboszcz, burmistrz, miejscowi przedsiębiorcy, radni, gospodarze, kobiety w ciąży, matki, żony i kochanki. Idą i klękają, wstają i idą. Muzyka smutna, niby kolorowo, ale wygląda to bardziej, jakby to kondukt żałobny się posuwał, by przy kolejnym z ołtarzy upaść na kolana. Wirują mleczne odcienie beżów, pudrowe róże, soczysta, głęboka czerwień. Pomyślałby kto, że to na skutek widzeń świętej Julianny z Cornillon.

– Koty poszły za płoty.

– A widział kto ostatnio nieboszczyka?

– Ależ skąd, teraz to do kostnicy, do chłodni, prosto do kościoła, nie to co dawniej. Zmarły aż do pogrzebu leżał w otwartej trumnie, można było się pomodlić, świeczkę zapalić. Proboszcz do kościoła odprowadził, w kościele jeszcze wieko zdejmowano, żeby z umarłym się pożegnać, pocałować go w policzek albo w czoło.

– Pamiętam, że gdy mój ojciec umarł, ustawiono trumnę w pokoju na stole, leżał tam uśmiechnięty, a sąsiadki w mantylkach, wszystkie na czarno, zanosiły się płaczem od rana do wieczora. Nie mogłem tego znieść, uciekałem od tych egzorcyzmów, wszelkich prób wskrzeszenia. Płakałem po kątach.

– A Jezusa nikt nie widział, jak zmartwychwstał, nikogo przy tym nie było.

– Bo to szabas był, a w tym czasie nawet zrywanie kwiatów jest zabronione, oprzeć o drzewo się nie można, a co dopiero kamień odwalić od grobu.

– Kurwa mać – zaklął któryś z siedzących przy stoliku, zaglądając do pustego kufla. – To powiem wam jeszcze, że pierwszego dnia tygodnia przed grobem Maria Magdalena zobaczyła stojącego tuż za nią Jezusa i nie rozpoznała go, pomyślała, że to ogrodnik.

– Nauczycielu, masz tu ciepłe piwo, lepiej się napij.

– Rabbuni!

– Słuchaj, chłoptasiu, i ucz się od starszych, to ci wyjdzie na zdrowie. Popatrz, jak elegancko zachowuje się gość przy oknie.

– Co?

– Chujów sto.

– Spokojnie.

– Ale nasz młodzieniec niczego nie rozumie.

– Dajcie łyka, na miłość boską…

– Palisz, to pal.

– Spokojnie, nie ma co się denerwować, przecież za swoje pijemy. Wstyd to kraść i z dupy spaść.

– Za twoim przewodem złączym się z narodem.

– Ludzie jednak chcą żyć, więc dostosowują się do swoich czasów.

Dosyć mam już tego aresztu. Z łatwością trafię do drzwi, spróbuję… Gwałtowny jęk sam wyrywa mi się z głębi płuc. Ostry ból w klatce piersiowej. Prawe ramię zwisa bezwładnie. Dłonie i stopy płynnie, choć niepewnie zagarniają pustkę. Przed knajpą jezdnia rozkopana. Zdarta nawierzchnia, pod nią warstwa kostki brukowej – pamiętam ją z dzieciństwa. Przejeżdżał tędy wyścig kolarski, rowery podskakiwały jak na przejazdach kolejowych. A my zaprzyjaźniliśmy się z głupimi dziewczynami, które jeździły autostopem, udając Czeszki, spuszczaliśmy się na linie z balkonu kamienicy, takie tam różne przygody. Aż kiedyś postanowiłem odwiedzić grób dziadka, i pojechałem tam. Była to nieduża jaskinia, właściwie grota, wszedłem do niej i odwaliłem leżący w środku niewielki kamień, pod którym, jak się okazało, leżała martwa suka. Dla dopełnienia obrazu pojawił się też żywy szczeniak, umaszczony podobnie jak ona. Popatrzyłem przez chwilę na to wszystko, po czym przywaliłem ten kamień z powrotem, ale niedokładnie, tak że pysk jej wystawał. Zacząłem dostrzegać, że ona przecież oddycha i otwiera oczy. Każde cierpienie istnieje bez proporcji i równowagi. Wyszedłem z jaskini, by powiedzieć o tym pani Stępniowskiej, która ciągle krząta się po ogródku, przywołuje mnie, dopytuje, chce, żebym wreszcie dał świadectwo prawdzie. Mówi, że nie powinienem stać tak na uboczu. Piłat usiłował to robić, ale krzyż, na który skazał Jezusa z Nazaretu, i prawda Jego królestwa, przenicowały sam rdzeń ludzkiego jestestwa rzymskiego namiestnika. Taka jest rzeczywistość, od której nie można usunąć się na bok, zejść na margines, nie wolno umywać rąk.

W końcu pojąłem, że ktoś wciągnął mnie w najprostszą pułapkę. Jak zwykle. Odwróciłem się, żeby dobiec do drzwi. Zdążyłem zrobić najwyżej dwa kroki, gdy usłyszałem znajomy brzęk, a potem masywne łono zamknęło się przede mną gwałtownie, niewidzialna ręka z trzaskiem przesunęła perspektywę. Zostałem odcięty od padołu ziemskiego, wtłoczony w formę, z której zapewne nigdy nie zdołam się wydostać. Całą siłą naparłem na otaczający mnie świat. Ani drgnął. Mamy z wózkami kołyszą swe niemowlęta pośród traw, kwiaty im w tym pomagają, badyle, fiołki i kaczeńce. Muszę się dostać do piwnicy, żeby drwa przysposobić, bo w nocy ma być chłodno. Pani Stępniowska wślizgnęła się za mną i przyparła mnie do muru, na amory ją wzięło, tuli się do mnie, piersiami napiera, chce do moich ust swymi ustami przywrzeć, ale ja się uchylam, migam się, gdyż zaszła obawa, iż w każdej chwili moja matka nas nakryje, odepchnąłem panią Stępniowską z całych sił, wybiegłem na dwór i co widzę? Pod stodołą na piasku wygrzewają się trzy otyłe ciałka, jakieś grubiutkie kadłubki, smażą się w słońcu, skóra ich spieczona na raka, nic im to nie przeszkadza, śmieją się, dowcipkują, a słońce grzeje tak, że udar gotowy, tłuszcz skwierczy, może nawet one chciałyby się usunąć w cień, ale żadne z ciał nie może się poruszyć, jakby zostały przywiązane do miejsca kaźni. Nie mam szans ich ratować, zresztą sam ciągle czuję się zagrożony, boję się stracić pracę, dlatego wracam na halę produkcyjną, bo tam potrzebują mnie do pomocy, właśnie usuwają, wyrywają z ziemi ogromne pale, muszę szybko znaleźć miejsce na składowanie tego dziadostwa, któryś z robotników popycha mnie, wódki każe się w międzyczasie napić, sam już nie wiem, co mam robić, majstra zapytam, może wie, gdzie jest mój sprzęt do przykręcania zaworów, ewakuować się stąd jest za wcześnie, zresztą znikąd pomocy, a tyle rzeczy się układało do przewiezienia, wiele zbędnych przedmiotów, że tylko na śmietnik je wyrzucić, klucze gdzieś tam powinny leżeć, i radio na baterie, którego przecież wszyscy żeśmy słuchali, zabiorę je ze sobą, gdyż w innym miejscu może nie być żadnej muzyki. W drodze do domu dopadły mnie dwie kurwy, poprosiły, żebym je przenocował, że nic mi nie zrobią, najwyżej pokażą mi, jak wygląda prawdziwa miłość. Niezbyt ten pomysł mi się spodobał, ale nie mogłem się od nich uwolnić, gdyż pod ramiona mnie wzięły, a kiedy tylko znaleźliśmy się w mieszkaniu, uciekłem do swojego narożnego pokoju, nie chcąc mieć z cipami nic do czynienia, pewnie natychmiast zechciałyby się dupczyć, a ja nie mam na to najmniejszej ochoty. Niewielka przestrzeń zawalona jest kartonami, skrzyniami po pomarańczach, pośrodku stoi kilka krzeseł, szafa w kącie. Telefony i aparaty fotograficzne mieszają się w paczkach z rocznymi zapasami szamponów i kremów do twarzy, sportowe zegarki z zestawami ręcznie robionych czekoladek, talony na kolację w restauracjach z nożami do ostryg i butelką octu winnego, drogie alkohole z futerałami na okulary.

Tak to wszystko ma się skończyć? Nikt mnie nie znajdzie, bo nikt mnie nie będzie szukał? Nikomu nie przyjdzie do głowy, żeby mnie szukać po świecie? A któż by sobie głowę zawracał zepchniętym na margines samotnikiem? Już dawno zgubiłem klucz do głównych wejść i wyjść. Będę musiał jakoś wytrzymać w tej ciasnocie, żeby mi tylko wody i powietrza nie zabrakło w tym natłoku ciszy. Chociaż z ciszą to już jest najmniejszy problem, bo w uszach nie brakuje mi przeróżnej wirtuozerii wokalnej, frazowania, cieniowania tonu, eterycznych pian i wyrazistych forte. Na szczęście jest jeszcze ta szpara, przez którą można od czasu do czasu popatrzeć na okolicę, co też tam w trawie piszczy. Nie powiem, moje życie wcale nie jest ciężkie, ale jakieś takie znikome, żeby nie powiedzieć – bardzo chujowe. Dlatego przeraża mnie to, że dobrze wykorzystana technologia ma szanse zapewnić mi życie wieczne, uchronić przed starzeniem i chorobami. Jestem zdecydowanie przeciwko wmontowywaniu w ciało sztucznych organów, zamrażaniu zwłok, zwiększaniu możliwości ludzkiego umysłu za pomocą elektronicznych implantów i stałych łączy. Jedyne, co przychodzi mi do głowy, to zamknąć oczy i wrzeszcząc wniebogłosy, bić się z myślami. Z zaciśniętymi pięściami i zamkniętymi oczami tłukę przestrzeń wokół siebie, czując każdy odbijający się pęcherzyk nerek, żółć podchodzącą do gardła. Barki amortyzują uderzenia, kręgosłup się uelastycznił, słyszę szeleszczący oddech. Czy to ma być przełom? To takie cenne. Epizody, epizodziki, garści zebranych po drodze poruszeń w miejscu bliżej nieokreślonym. W kaleki i żałosny sposób trzeba pójść dalej, chociażby o krok.

Na zewnątrz przestrzeń ukształtowała się w coś delikatnie opływowego, szczątki nieba wydają się drobniejsze od ludzi. Dziewczyny przynoszą stare koszule, obrusy, prześcieradła i inne zapomniane domowe szmatki.

Wyciągają z torby nożyczki, igłę i nitkę. Na łonie przyrody zszywają, kroją, skracają – po to, by stworzyć oryginalne torby, czapki, maskotki, kosmetyczki i wszystko to, na co mają ochotę. Pani Stępniowska, jeszcze w pełni sił, dołączyła do towarzystwa, by dziergać pończochy. Obróciłem się na pięcie, wiatr lekko zawodził, nie był jednak na tyle silny, żeby z nim walczyć, żeby nie móc zapalić papierosa. Niósł za to wilgoć łąki. Zawahałem się, czy pójść w prawo w kierunku apteki, czy w lewo. Pomyślałem o pani magister, dawno się nie widzieliśmy, co prawda nie mam przy sobie żadnej recepty do zrealizowania, ale porozmawiać zawsze można, tym bardziej że pani Stępniowska zajęta jest szydełkowaniem, więc nie będzie nam przeszkadzać, nie będzie naciskać klamek, przechodzić pomiędzy regałami. Niekiedy kocham się z panią magister, przychodzę do apteki, a ona wywiesza kartkę, że wyszła na chwilę do banku albo po papier do drukarki. Tym razem jest podobnie. Przecież drzwi już są zamknięte, wszystko może się wydarzyć. Od razu poszliśmy na zaplecze. Szybko znalazłem się przy jej ciele. Pani magister przytuliła się do mnie.

Wziąłem jej dłoń w swą dłoń. Drżącą i spoconą, spokojnie, delikatnie, jakby każdy ruch mógł prowadzić do rozsypania się misternie wyrzeźbionego kobiecego ciała. Przesunąłem powoli palcami po kostkach palców – zadrżała. Nie pierwszy raz zdarza się, by ktoś był tak zainteresowany jej dłońmi. Nią samą! Zawsze nękają mnie pytania: co robi, gdzie jest, gdy nie ma mnie przy niej? Przeklęta kobieta! Niszczysz mi życie! Jesteś nikim! Żałuję, że żyjesz, żałuję, że jesteś, żałuję, że ciągle nie mam siły, by z tobą skończyć... Patrzę w tę jasną, promienną twarz i dotykam jej twarzy. To już niedaleko. Całowanie, rozbieranie, szukanie najodpowiedniejszej pozycji, by łatwo było się zbliżyć. Teraz już nie ma co prosić się nawzajem o zachowanie spokoju i rozsądku. Nawet ewentualne pojawienie się pani Stępniowskiej nie zdoła niczego zmienić. Nie przeszkadzają gęstość światła i prostota mebli. Dlaczego nie potrafię się zatracić? Jestem w niej, słyszę jej jęki, czuję ciepło moczu, zamykam oczy i kreślę w powietrzu kształty wazonów i butelek – sztywny strzęp mięsa wciąż ostrzem do niej. Uda rozchylone jak okno, uda niczym dwie wiotkie trzciny uginające się pod ciężarem mego ciała, ach, rozchylajcie się letnią porą, sypkie odnogi grządek i ugorów, niech ziemia rodzi, niech szyby rodzą złociste refleksy, a my kąpmy się w szalejącym oceanie przysiąg!

Chwyciłem ją za dłoń – znów delikatnie trzymam, jednak na tyle stanowczo, żeby już nie cofnąć, jak poprzednio. Do miłości może przywrócić ją ciepło silnych ramion, którymi zostanie objęta. Pomogłem jej wstać, a ona pragnęła tylko, bym nigdy nie przestał jej kochać. Czuła się bezpieczna. Spojrzała mi w oczy. Uśmiechnęła się. Jej twarz jeszcze bardziej spąsowiała. Widzę rzęsy, przyprószone brokatem, który wniknął również w gęstą siatkę zmarszczek pokrywających jej twarz. Ściany mętnieją w oczach, aksamitny pył osiada na menzurkach, cylindrach, tubkach i innych opakowaniach z miksturami. Wiązki światła wypełzają spomiędzy żaluzji i głaszczą przesiąknięty bielą chałat pani magister. Patrzę na jej piersi, przyspieszony oddech mnie drażni. Czuję pulsującą pod skórą krew, ruch powiek i trzepot rzęs. Przykładam do czoła chłodny pusty flakon i wciągam w płuca mętny dym papierosa. Zamiast przemyśliwać westchnienia i niemożliwe tęsknoty, powinienem wybiec na dwór i spijać słońce wprost z nieba. Jak najczęściej podejmować ryzyko otarcia kolan, wspinać się na najwyższe gałęzie i krzyczeć na całe gardło, oczyszczać się z niezdrowej melancholii i trującego smutku.

Nie interesuje mnie to, że wszyscy się rozbiegli, że moszczą się w łanach traw i smagają źdźbłami. Obwąchuję ślady, obserwuję dźwigające się łodygi i gładzę długie soczyste gałązki brzózek. Lubię usiąść na miedzy, tam, skąd widać pola i odległe wioski, i dawać się przewiać na wskroś. Rozpamiętuję przeszłość, bo nie potrafię odnaleźć momentu, kiedy mój los został przesądzony, kiedy złośliwy Bóg rzucił o ziemię tysiącem twarzy. Uświadamiam sobie, jak bardzo troszczymy się o to dotychczasowe bycie, każdego dnia szukając jakiegoś uchwytu w prostej czynności, gdy sięgamy po największy skarb tego drugiego człowieka, jego oczy jak klejnoty lśniące łzami, gdy nas żegnają. To życie, tak cicho milczące, razem z odlatującymi motylami unosi się wśród tumanów kurzu. Tak widzę panią Stępniowską, jak naga, na kilka dni przed śmiercią, stoi pośrodku swego ogrodu.

Nagusieńka pochyla się nad bratkami, bez wstydu kuca i oddaje mocz. Zdaje się, jakby cofnęła się do okresu niemowlęctwa. Bawi się kwiatami i gaworzy. Jej pamięć poblakła, pożółkła i nie rozbłyśnie już nigdy pełnią barw i wyrazistości. Jej ciało staje się blade i zimne.

Odezwałem się do niej, ale ona nie odpowiada. Muszę odnaleźć kogoś z rodziny, przecież trzeba zabrać ją z ogrodu, bo jak to wygląda, nagość nie przystoi żadnej duszy. Wywołałem z domu Jerzyka i mówię mu, co i jak. Nawet się nie zdziwił, nieraz już matka niepostrzeżenie opuszczała łóżko, nie dało się jej upilnować. Ona już w ogóle nie wie, co się z nią dzieje, do ogrodu ją ciągnie, pośród grządek nie zauważa, że czas przepłynął przez nią niczym górski potok. Już dawno jest spakowana i gotowa do drogi.

Prawie codziennie przechodzę obok ogródka pani Stępniowskiej. Mielę przeszłość na słowa, zdania, żeby tylko nie stać się zwierzęciem.

II

Numer 105:

      pan Ludwik Irota odszedł
      w wieku 66 lat

Wychodzę na ulicę, sam nie wiem po co, i nie zastana-wiam się, wędruję i obserwuję, niekoniecznie świadomie, widzę wszystko, choć nie wiem, czy chcę. Tak jak teraz, chociaż zimno przenikliwe, mróz, śnieg pada, że mało co widać. Nic mi to nie przeszkadza. Wznoszę się wolno, jak o każdej innej porze dnia i roku. Niczego mi nie bra-kuje. Te dłonie, twarze, uśmiechy, nietrwałość, prostota i pustka, niedokończona możliwość. Każdy może zoba-czyć to, co podsuwa mu wyobraźnia. Gdyby ulica była gwarna, nie można by już nadać jej żadnej innej barwy, ale jeśli jest tylko szkicem o szarych konturach, można wypełnić ją wszystkimi barwami świata. Spoza płatków śniegu, zza śnieżynek wyłania się obraz, przedstawienie, w którym kuzyn Jakub ciągnie sanki za dowiązany do nich sznurek, na sankach ciało wielkie i otyłe, z bardzo dużą głową. Zesztywniały jak sopel lodu Ludwik Irota dzierży w dłoni butelkę.

   – Cóż to wyprawiasz z tymi sankami?

   – Nie widzisz? Ludwika wlokę.

Sąsiad chybocze się na boki, że mało na jezdnię się nie zsunie. Kuzyn dzierży w dłoni sznurek, przytrzymuje sanki, żeby nie nabrały zbyt dużej prędkości, sąsiadem się przejmuje, sąsiada chce do domu dowieźć.

– To co z nim? – pytam od niechcenia.

– Leżał w śniegu pod domem Madeja, to co miałem zrobić.

Rzekłem coś o pogodzie, że zimno, sypie, pytam też o te sanki, skąd je wziął, od kogo. Na co kuzyn wniebogłosy, jakiś rozdrażniony, mówi, że całe to jego poszanowanie bardzo szybko się skończy, tak szybko, że nikt się nawet nie spodziewa. Sąsiada znalazł w zaspie, pijanego jak bela, więc się nim zajął, gdy ten się ocknął, dał mu parę drobnych, trudno powiedzieć, na co mu one. Kogo obchodzą ten chłam i kłamstwo. Sąsiad to kanalia, która codziennie nas sprzedaje, ormowiec zajebany, niszczy nasze zasoby, potencjał. Wszystko to bez żadnej przerwy, to jakieś perpetuum mobile, tylko po co to wszystko i dlaczego, za daleko to zaszło, żeby ktokolwiek mógł zrozumieć. Donosimy na siebie dla kaprysu, i to nie zawsze swojego. Nadchodzą inni, zaciekawieni, od dawna wiadomo, że sąsiad chory na serce, a niczym się nie przejmuje. Już są, kobiety, mężczyźni, nikt nic nie wie, a wszyscy mówią, nigdy nie potrafią się zamknąć, wyrzucają z siebie słowa, nawet gdy są sami. Alkohol nie uspokaja, jedynie ogłupia. Mówię kuzynowi, żeby go zostawił, niech zamarznie, tyle złego ludziom wyrządził, niektórzy tak dużo przez niego wycierpieli, mnie też nieraz zdradził, a mało to mnie rewidowali, na egzamin jechałem do Krakowa, żeby na studia zdawać, a tu masz, milicjant mnie zatrzymuje, rewizję osobistą robi, później na komendę, do kolegium, odciski palców, pociąg dawno odjechał, egzaminy przepadły, takie bezprawie było, że tylko pożal się Boże. Irota zawsze usłużny, na pasku władzy, ale nie on jeden. Kuzyn Jakub nic sobie z tego nie robi, pilnuje, by sanki ślizgały się w dobrym kierunku, wiezie Ludwika do domu, żeby nie zamarzł na mrozie. Żegnam się z kuzynem, a przecież się jeszcze zobaczymy, mamy się zobaczyć, pewnie coś kupimy, może znów jakieś piwo w tym samym monopolowym, gdzie wszyscy się gapią, niech cały świat się gapi na puste półki. W nocy nie będę spał i poczuję ból w potylicy, dziwny, pulsujący i tępy ból. Jak zawsze wychodzi z niego jakaś szmira, trochę poboli, ale bez przesady, to widmowy ból. Sąsiadem nie ma co sobie głowy zawracać, tym bardziej że odszedłem już na sporą odległość. Jeszcze chwila i nie będzie mnie w ogóle widać, gdyż nie potrafię wstawać rano każdego dnia, odrabiać życiowej pańszczyzny do końca albo nawet robić więcej, całując stopy pana i uginać się pod jego ciężką ręką. Dopadają mnie mdłości, gdy wstaję, ale zmuszam się do jedzenia, myję się i oglądam jakieś twarze za oknem, przelatujące obrazy, wkładam coś na siebie i wychodzę, palę papierosa i po drodze na rynek wyrzucam z kieszeni żałosne śmieci z wczoraj. Najgorsze jest czekanie, bo coś może się zdarzyć, lecz nigdy się nie dzieje, ten scenariusz obowiązuje każdego dnia. Dlatego to wspomnienie sąsiada, gdy byłem młodzieńcem, jest jak schludność wyglądu i ubioru, mimika twarzy, poruszanie się, zróżnicowana prędkość wykonywania poszczególnych czynności, rytmika, balans, harmonia ruchów, zręczność. Teraźniejszość miesza się z przeszłością, nakładają się czasy, pory roku, ale zimy kiedyś były surowsze, nie to co w dzisiejszych czasach. Sankami można było się poruszać bez przeszkód. Od lat mieszkam na tej ulicy, od dzieciństwa, jesienią bez kaloszy nie przeszedłeś z jednej strony drogi na drugą. Pamiętam, jak wracałem z przedszkola, cały ubłocony, a matka upominała mnie, że jestem uświniony, bardzo długo nie wiedziałem, co to słowo znaczy. Dopiero później domyśliłem się, gdy na leżącego w błocie sąsiada ktoś powiedział, że jest cały uświniony. Kalosze należało wkładać, obuwie odpowiednie. Nie to, co teraz, gładka nawierzchnia jezdni, trotuar od dołu do góry, lecz to tylko ta wyremontowana jezdnia świadczy o upływającym czasie, bo wszystko inne na swoim miejscu. Domy, podjazdy, posesje, ogrodzenia. Co tu powiedzieć o tym teraźniejszym czasie? Przecież gdy zdjęli stary asfalt w rynku, odsłoniła się kostka brukowa sprzed czterdziestu lat. Uwidoczniły się dziury w drodze, które w tamtym czasie musiałem omijać, gdy jeździłem wokół rynku rowerem. Jak tu to wszystko rozgraniczyć, przecież patrzę na siebie, patrzę na rynek, na swoją ulicę i co widzę? Gdy kieruję wzrok na przedmioty, by dokładnie przyjrzeć się ich niezmienności, wskutek usilnego wpatrywania się, wypatrywania zmian, jakie mogły zajść w miasteczku do tej pory, powstaje w moich oczach mglistość. Jakby kogoś zapytać, to powie, że po dzieciach widać, jak czas leci, tak już wyrosły, ile chłopiec ma już lat, popatrz, pani, to już dwadzieścia jeden, a dopiero taki malutki był. Niedawno Gienia częstowała go pomidorem, a dzisiaj już babina nie żyje, ile to już lat minęło od jej śmierci? Smak, woń to najtrwalsze sygnatury danej pory roku, dnia, miejsca, chwili. Wszystko od lat na swoim miejscu: drzewa, chaty, płoty, chmury, blaski na wodzie, dymy dogasających ognisk. Jak tu oddzielać przeszłość od teraźniejszości, żeby wiernie wszystko pokazać, żeby obraz był prawdziwy? Czas jest określony linią znikającą i pojawiającą się w przeciągach myśli, gdzie konkretność, niczym woda, przyjmuje kształt naczynia, w jakim znajduje się w danej chwili. Szew trzyma wystarczająco mocno. Potężne akacje wspinają się i sięgają chmur, wdzierają się do okien przybudówek, przedzierają się przez każdą napotkaną przeszkodę.

W karczmie głosy podniesione, Ludwik z grubej rury wywalił na stół słowa o ziemi rodzinnej, że gardzimy własną ojczyzną.

– Paszporty innych państw nie pozbawiają nas polskiego obywatelstwa. – Odchrząknął z miną niezbyt pewną.

– Ale Polska jest rządzona przez obcych – odpowiedział Ludwikowi kuzyn Jakub.

– Co ty pierdolisz, żyjemy wszyscy w jednej wiosce.

W oczach innych gości spijających pianę pojawiło się coś w rodzaju jadu przyczajonych węży.

– Tylko że po polskich ulicach chodzą rosyjscy i niemieccy policjanci.

– Ale masz nasrane we łbie. Uświadom sobie, że żyjąc w dowolnym miejscu na ziemi, możemy pracować dla Polski.

– Szczególnie gdy w koszarach jest niemieckie i rosyjskie wojsko.

Tym razem Irota zdębiał.

– Jak mam ci to wytłumaczyć, barani łbie, że Polska nigdy nie była tak dobrze wykształcona, piękna, bogata i potężna jak dzisiaj – rzekł Jakub.

Ludwika na moment dosłownie zatkało.

– A może polski Sejm i Senat nie są obsadzone przez Teutonów i Ruskich? – zapytał. – Przecież to o ojczyźnie mowa. O rodzonej.

– Pojebało cię, mówisz tak, jakbyś żył w średniowiecznym, zatrutym oparami zabobonów kokonie. Ha, ha, ha – zaśmiał się Jakub.

– Ale nie możesz zaprzeczyć, że w Polsce nie ma polskiej prasy ani telewizji.

– Dzisiaj nikt nie musi fałszować historii. Czas goi rany, zmywając nieuchronnie brzydkie plamy.

– Trzeba zrobić wszystko, żeby do władzy dostali się prawdziwi patrioci, może wtedy coś się zmieni na lepsze.

Jakub po raz pierwszy spojrzał Irocie prosto w oczy. Znowu się uśmiechnął. Przez moment zrobiło mu się żal sąsiada.

Przy innym stoliku ktoś rzekł, że musimy iść do przodu jako dzielny naród z tragiczną przeszłością, zdolny do dalszego rozwoju w pokojowej współpracy z innymi.

Jakub przycichł, przygarbił się, sięgnął po kolejnego papierosa.

Ludwik Irota siedzi wyprostowany, z mocno zaciśniętymi zębami, z oczami jarzącymi się wciąż tą samą kipiącą w nim irytacją.

Zbliża się jedenasta. Brzęczą kufle, dzwonią jakieś obluzowane żaluzje, trzaskają drzwi, dziesiątki szmerów, odgłosów, których źródła nie sposób ustalić.

I znowu to poplątanie, z jednej strony skłonność do wyrafinowanej prostoty, wyciszenia, symboliczności, skromności i oszczędności środków wyrazu, a z drugiej umiłowanie przepychu, ostentacji czy bogactwa. I jeszcze ten czas, o którym wszystko można powiedzieć, tylko nie to, że jest odczuwalny. Jak trudno odnaleźć się w rzeczywistości. Łatwiej już określić terytorium, na którym toczą się zdarzenia przeze mnie widziane. Bo przecież tu chodzi o sąsiada, z którym mam do czynienia od dziecka.

Zapaliłem papierosa. Nocna cisza i pustka. Co robią ludzie pozamykani w domach? Szkoda, że nie ma sposobu, żeby ich podejrzeć. Nienawidzą się, kochają, rozmawiają. Zacząłem zazdrościć Bogu wyposażonemu w armie aniołów, które sprytnie wykorzystywane pozwalają na podsłuchiwanie i podglądanie wszystkich mieszkańców miasteczka.

Miałem właśnie zamiar wstać i pójść do domu, gdy usłyszałem kroki. Byłem przekonany, że zaraz ujrzę Jakuba, ale nie, to pan Irota, bez trudu go rozpoznałem. W prawej ręce trzyma jakiś przedmiot. Ciekaw jestem, skąd się tutaj wziął, czego ode mnie chce. Nigdy nie lubiłem z nim rozmawiać, nie umiałem, zawsze był jakiś taki tajemniczy, jakby całe życie się czegoś bał, tylko do żony umiał wprost mówić, krzyczeć na nią, awanturować się. Sąsiadka nieraz spędzała czas na ulicy, gdyż bała się wrócić do domu, bała się męża, jego rękoczynów.

Wreszcie dotarł do mnie, usiadł obok, wyciągnął ćwiartkę wódki.

– Napijemy się, nic się nie bój, po jednym… a co, tylko cicho, nic nie mów, napij się…

Irocie zawsze się wydawało, że dawne cierpienie jest lepsze od obecnego, że kiedyś cierpienie było młode, niewinne, niemowlęce, dopiero co narodzone.

Patrzę, jak przechyla butelkę, i myślę sobie, że nic nie osiągnął, donosił, donosił na wszystkich, nikogo nie oszczędzał. Podaje mi butelkę i mówi:

– Nie pytaj, ciszej mów, nie oszukasz mnie nigdy. Taka była twoja wina. I taka też będzie twoja kara. Cała przyjemność po mojej stronie, biorę wszystko na siebie, umrę pod ciężarem swoich grzechów. Ach, opętane śmiercią dzieci, biedne sierotki ze zbolałymi serduszkami, egzaltowane panienki w czarnych ciuszkach, przybądźcie z waszych czarnych mroków, dziwnych pokoików. Umarł król, niech żyje król!…

Mówi tak w pijanym widzie, jego organizm niewydolny, serce, wątroba, nerki, niebawem umrze, będzie siedział przed domem na taborecie, piwko popijał, gdy przyjadą po niego pielęgniarze, o własnych siłach uda się w ostatnią podróż. Po dwóch tygodniach przyjdzie wiadomość, że nie żyje pan Irota, świeć, Panie, nad jego duszą.

Tymczasem przypominam sobie, jak szeptał mi do ucha, żebym się nie bał, żebym był cicho, nic nie mówił, nie odzywał się, im mniej będę wiedział, tym krócej będę przesłuchiwany.

– Myślisz, że nie wiedziałem, że jeździłeś do szkoły na gapę, że nie wykupywałeś miesięcznego, nie bój się, nie powiem nikomu o twoim oszustwie, dobrze wiedziałem, jaki z ciebie był cwaniaczek, mnie byś nie oszukał, ale ten kontroler Sroczka dawał się nabierać, pokazywałeś mu bilet, on jednak nigdy nie brał go do ręki, by dokładnie sprawdzić, ale ja to wszystko wiedziałem, tylko że nikomu nie mówiłem, miałem cię na oku.

No tak, należało się spodziewać, że nic nie umknie jego uwadze. Ale jaki był dla mnie miłosierny. Jest w Nim cała prawda o *ancien régime*. I jest w Nim jakaś zdumiewająca konsekwencja tego, co człowiek uczynił ze swoim Bogiem. Można powiedzieć „*Ecce homo!* Popatrzcie, co uczyniono z człowiekiem! Popatrzcie, co w tym Człowieku pozostało z Boga". Na egzekucję jeszcze za wcześnie, choroba jeszcze zdąży się rozwinąć. Dopiero gdy zrobi się chłodno, wietrznie, ulewnie, burzowo i groźnie, przyjdzie stanąć pod krzyżem. Teraz pora udać się na potańcówkę do remizy strażackiej, zabawić się, poszaleć, jak to za młodu: dziewczyna za rękę, flaszka wódki pod pachę i do zabawy marsz, wykonać polecenie.

Już w podskokach po schodach, popchnąć drzwi wahadłowe, lecz przejścia dalej nie ma, bo w przejściu stoi Irota i sprzedaje bilety, przerywa druczki, srogi i wymagający dla wszystkich, już szczególnie dla mnie, gdyż brakuje mi kilku groszy, by opłacić wejście, nawet dyskretnie proszę sąsiada, by przymknął oko, następnym razem oddam mu z nawiązką, ale on za nic uprosić się nie da i każe mi wyjść. A że z dziewczyną byłem, to wstydu co niemiara było we mnie, ona z portmonetki wyjęła brakującą kwotę i zapłaciliśmy grzecznie. Weszliśmy do środka, gdzie zaduch i hałas ogromny. Pod ścianami panny stoją, kawalerowie, pośrodku kręcą się przytulone pary, światła migają, omiatają najdalsze kąty wszelkie błyski oscyloskopu. Poniosło mnie w tan, z kolegami w koło, nasz taniec solo wygląda jak polowanie na motyle. Pelcia, z którą przyszedłem, gdzieś w tym zgiełku przepadła, to można wódki się napić, papierosa zapalić, hej, hej, ułani, malowane dzieci, temu przypierdol, tamtego popchnij, Irotę trzeba by ukarać, bo co on taki ważny, podskakuje, w mordę dać, żeby nie wiedział od kogo, za remizę go zaciągnąć i tam porządnie zmłócić. Rzeczywistość potrafi porażać swoją brzydotą i brutalnością, a jakże. Codzienność przytłacza, gdy ogranicza się tylko do wzajemnych oskarżeń, kłamstw, kłótni i niezgód. Żeby choć miłość jeszcze kiedyś powróciła sennym wspomnieniem szczęśliwej przeszłości.

Cały spocony, za drzwiami kawiarniane pomieszczenie, jakaś kuchnia gazowa, na niej olbrzymi gar z pieczarkami, cebula się smaży, nasi chłopcy z drużyny siedzą i popijają, czekają na obiad po wygranym meczu z Gromnikiem: Bebech strzelił bramkę z karnego, Gudi zza linii szesnastu metrów, taki wolej mu wyszedł pierwszy raz w życiu. Irota też był na meczu, kibicował, teraz zagląda tutaj, żeby wódki się napić; niejeden go częstuje, by mieć z nim spokój na przyszłość. Zaraz pewnie wróci do swoich biletów z obawy, żeby nikt mu się za darmo nie przemknął, jest więc okazja, można by teraz wywabić go na dwór, manto sprawić. Zawołałem chłopaków, mówię, co i jak, w lot podchwyciły. Dopadliśmy go za schodami, zaraz gdy wychodził z budynku, nawet się nie zorientował, co i jak. W łeb oberwał raz i drugi, a gdy upadł na ziemię, kilka kopniaków dostał w brzuch, żeby sobie nie myślał, że wszystko mu wolno, niech popamięta ten czas zmiażdżonej twarzy, przecież orderów i odznaczeń pozbawić go nie możemy. Tylko że nie powinniśmy go tak tutaj na pastwę losu samego zostawić. Trzeba by go na widok publiczny wystawić, niech ktoś się nim zajmie, ktoś, kto ma do niego resztki szacunku. Przecież takich w naszym zasranym grajdołku, gdzie ludzie leczą się za pomocą stawianych baniek i wsadzaniem delikwenta na trzy zdrowaśki do pieca, nigdy nie brakowało. Jak tylko zauważyliśmy, że się ocknął, że głośno wzywa pomocy, oddaliliśmy się spod ciemnej gwiazdy do swoich zajęć.

Przechodząc obok posesji pani Stępniowskiej, usłyszałem jej głos – spytała, kto tak zawodzi jak świnia zarzynana przed świętami. A co ja mogłem odpowiedzieć, tylko tyle, że zapewne to ktoś w przebraniu, w masce, używający wieloznacznego gestu, przerysowanych zachowań, farsowych aluzji. Dzięki deformacji swego ciała uwypukla to, co ważne. Równocześnie ludzie chcą mieć poczucie, że panują nad swoim życiem. A dziś coraz częściej doświadczamy bezradności – żyjemy w rozproszeniu, coraz rzadziej mamy poczucie przynależności do miejsca, w którym mieszkamy, relacje się rozluźniają, ciągle pojawiają się nowe wyzwania. Każdy dostaje duże kartonowe pudło pełne ubrań i akcesoriów. Są to: ciepły kombinezon z rękawiczkami, drugi cieńszy na cieplejsze dni, pikowana kołdra, ręcznik z kapturem, bawełniana kominiarka, majtki na pieluchy wielorazowe, pajacyki, śpioszki, kaftaniki, spodnie i skarpetki. Wszystko w naturalnych kolorach: dużo bieli, kremu, poza tym zieleń, żółć czy brąz. Ani śladu różu. Oprócz tego strój, nożyczki do paznokci, szczoteczka do pierwszych zębów, podpaski dla mamy, prezerwatywy dla rodziców. Jedno jest stałe: każdy otrzymuje to samo, niezależnie od tego, jakiej jest płci. Każdego z nas jednakowo czas doświadcza, najlepiej widać to, gdy woda płynie, a na jej powierzchni marszczą się fale. Z mostu można się temu strumieniowi przyglądać do woli. A gdy się obracam i patrzę w górę rzeki, widzę remizę strażacką, jak na jej zapleczu pomagam budować garaż, obsługuję ogromną betoniarkę, piasek do niej sypię, wapno, dolewam wodę, żeby zaprawa była w sam raz, taka, jakiej potrzebuje murarz, pocę się, pot z czoła ocieram, a Irota, widząc to, podchodzi do mnie, gdyż chce pomóc, kiprować beton na taczkę. Ucieszyłem się, mechanizm do kiprowania nie był łatwy w obsłudze. Myślę sobie, to nawet dobrze, już sił mi brakowało, odpocznę, popatrzę. A tu masz, sąsiad nie utrzymał ciężaru i całą zawartość betoniarki upuścił na ziemię. Oczywiście niczym się nie przejął, poszedł sobie, zostawiając mnie samego. Zacząłem z powrotem wrzucać beton do betoniarki, bojąc się, żeby nie zastygł, włączyłem na wolne obroty, dolałem wody, sprawdziłem konsystencję. Zauważyłem, że wszystko wraca do pierwotnego stanu. Sprawdziłem jeszcze palcami gęstość, ale coś mi się wydawało, że beton zaczyna za bardzo tężeć, bałem się, żeby ciasto się nie zestarzało, dolałem do dzieży jeszcze trochę wody, przemiesiłem, patrzę, ciasto rośnie jak na drożdżach, chleb na zakwasie jest najlepszy, wszyscy to wiemy. Zaraz przewiozę dzieżę w odpowiednie miejsce, tam gdzie się formuje bochenki. Przez całą halę należy wózek przetoczyć do stołów oprószonych mąką. Ktoś mnie woła, krzyczy na mnie, gdzie ja się podziewam, dlaczego materiał jeszcze nie gotowy, przecież nie ma jak murować ścian, niech się mury pną do góry, ten krzyk jest poniżający, że to niby nie daję rady, że słaby jestem w ramionach, w barkach, że się, kurwa, guzdrzę, dobrze, że syrena zawyła, wszyscy rzucili w kąt narzędzia pracy i dalej do pożaru biec na złamanie karku. Tylko ja sam zostałem. Zaglądam do wielkiego naczynia w kształcie gruszki, a tam wielosmakowych lodów pod dostatkiem. Będzie czym strażaków poczęstować, gdy wrócą z akcji gaśniczej. Może nawet Irotę poczęstuję lodami o smaku waniliowym, on tu lubi się kręcić wśród strażaków, choć oganiają się od niego, opędzają, pić z nim nie chcą, boją się go jak ognia, ale gdy już dopadnie którego, to już trzeba się napić, nie ma uproś, pół litra albo i litr czystej wódki bez popijania, bez gadania trzeba wlać w siebie za jednym zamachem. Ale są i tacy, którzy mówią, że trzeba go powiesić, otruć, zagrzebać dla dobra tych wszystkich, przeciwko którym spiskuje, poderżnąć mu trzeba śliczne gardziołko. Dlatego gdy dostrzegam sąsiada, jak przedziera się ku mnie przez zaspy, macham ręką, by podszedł bliżej. Chcę dać upust swojej wściekłości, całej żółci, zniszczyć go, bo mogę. Dla mnie jest nikim. Wiem, wiem, tak, doskonale wiem i patrząc w jego przerażone oczy, będę się upajać tą wiedzą, że to przez niego człowiek zanurzony w świętości może stać się zwierzęciem, że to on skazał mnie na urojenia, ambicje i cały ogrom nieszczęść wiszących nade mną. Dzięki Bogu Jakub wziął pijanego Irotę na sanki. Widzę, jak między zaspami śniegu zjeżdżają w dolinę, a za sankami kurzy się biel. Śnieg podchodzi do kolan.

III

Numer 28:

ciocia Marysia

odeszła w wieku 45 lat

Gdy przypominam sobie ciocię Marysię, to widzę ją, jak stoi w kuchni oparta o framugę drzwi i patrzy na zastawiony stół. Przede mną talerz z kanapkami. Proszę, by zechciała się poczęstować, lecz ona na to, że tylko oczami by jadła.

– Weź, poczęstuj się pierniczkiem – mówi do niej moja mama.

– Nie, dziękuję, oczami bym tylko jadła, wszystko staje mi w gardle, nie dam rady nic przełknąć.

– To co ci jest?

– A bo ja wiem.

Moja pamięć sięga czasu, gdy jako dziecko pomagałem cioci Marysi ciąć drewno na klocki, żeby było czym w zimie w piecu palić. Kładło się konary na kobyłkę zbitą z żerdzi i ręczną piłą tam i z powrotem, że wiatr trocinami zakręcał, po oczach prószył.

– Ciągnij równo, nie wyginaj piły, bo się zacina, nie czujesz, że ciężko idzie? – poucza ciocia.

– Ręka mnie już boli.

– Zaraz skończymy, jeszcze jeden pień.

Ciocia Marysia traktowała mnie jak równego sobie, bardzo mi się to podobało, czułem się przy niej, jakbym był dorosły. Papierosem poczęstowała, po plecach poklepała. Z zazdrością patrzyłem na jej umięśnione łydki, imponujące ramiona.

– Dobra, już się zmierzcha, chodźmy do domu.

Gdy znaleźliśmy się w jej izbie, usiadła przy piecu, podłożyła szczapki do paleniska i podpaliła. Buchnął dym, ogień pokazał język, zahuczało pod blachą. Postawiła czajnik. Zapaliła papierosa. Ja siedzę przy oknie i spoglądam na ulicę. Robi się coraz ciemniej, ale ciotka nie włącza światła, siedzimy tak w półmroku dłużej, niż to konieczne. Widzę, jak ogień błyskający w palenisku oświetla kolana ciotki, ona skulona na zydelku kurzy cygaretkę. Jej plecy są jak koń opętany szaleństwem. Gdy wypatruję uważnie, widzę popielaty kredens, obtłuczone, przyczernione kafelki pieca, piec w dookolnej szarówce przypomina żywą istotę, która zdążyła już na wszystko zobojętnieć, jego wewnętrzna substancja jest rozbita na atomy, a jego prawdą jest dezintegracja. Boję się, że błahym słowem spłoszę ten ulotny nastrój, który zatrzymał się pośrodku izby. Szkoda mi tego nastroju, tej aury, tego płomyczka. Poza tym nie powinienem niczego zmieniać w tym układzie linii prostych. Często odwiedzam świat cioci Marysi i głaszczę stół kuchenny przykryty ceratą. Przy piecu ona; czarne włosy wchodzą jej do oczu, ale nie zwraca na nie najmniejszej uwagi. Jest ładna, widzę po oczach. Zapewne siedząc tak przy piecu i wpatrując się w błyskający w nieszczelnych drzwiczkach paleniska ogień, wyobraża sobie księcia z bajki. A może pałac? Zaczarowany ogród? Na stole karpiele i owsianka, sianko i suszone ćwiartki jabłka. Staram się siedzieć bez ruchu, ale to naprawdę bardzo trudne. Szczególnie że każdy cień, każdy najmniejszy rozbłysk światła od razu odbija się na jej twarzy.

Czasami ciotce jest bardzo źle, wiem o tym, chociaż o tym nie mówi. Nie chcę, żeby rozwiała się gdzieś w przestrzeni tylko dlatego, że moja wyobraźnia jest równie nieokiełznana co rysy jej twarzy. Chcę widzieć, jak wącha zbity wiecheć kłosokształtny, który włożyła do wazonu i postawiła na parapecie, żeby mieć w izbie nieco ogrodu. Tak, to przede wszystkim ciekawość: często do niej przychodziłem – robiła mi kanapki, wstawiała wodę na herbatę. Była jak bluszcz – dzięki niej nie byłem narażony na ataki wichrów, dzieliła się ze mną solami mineralnymi, energią i słońcem.

Na podłodze czernieje pogrzebacz – upuściła go w tym właśnie miejscu. Ciotka ma wielką ochotę zamienić się w staroświecką cukiernicę, żeby nie widzieć ani nie czuć. Przede wszystkim nie czuć. Wokół jakieś rozmazane plamki. Ciocia nagle przestaje być sobą. Za każdym razem inaczej: a to płacze, śmieje się, błagalnie krzyczy, milczy, a niekiedy tańczy, oderwana od rzeczywistości, ciągle do tej samej muzyki. Czasami dla zabawy stała tylko na jednej nodze, a potem na odwrót – na drugiej. Wszystko powoli. Zatrzymywała chwile, zamykając je pomiędzy radością życia a chichotem z niego. Szukała pomocy, najbardziej wtedy, kiedy narzeczony ją zostawił, gdy była w czwartym miesiącu ciąży. Co było robić. Zbyt młoda była, by sobie poradzić z ostracyzmem gromady.

A później Dzidek przyjechał przyrządzić karpia po żydowsku na wigilię, zagrać cioci na trąbce do snu. Jego specjalnością był szpik kostny z grzankami. Pamiętam, jak jednego razu kręcił się po izbie, wygłaszając wykład na temat właściwego przyrządzania tej, wydawałoby się tak prostej, potrawy.

– Jeżeli ugotuje się same kości szpikowe, nawet z dużą ilością jarzyn, to szpik nie będzie miał tego idealnego smaku. Najlepiej, jeśli gotuje się kość obrośniętą mięsem, a w garnku prócz pręgi wołowej powinno być jeszcze jakieś inne mięso, dużo jarzyn, zioła; jak rosół będzie esencjonalny, pachnący, to wtedy szpik uzyska właściwy smak. Nie koniec na tym, szpik trzeba koniecznie rozsmarować na grzance. To wcale nie jest proste, bo grzanka musi być lekko chrupiąca, najlepsza jest z żytniego pieczywa, i ciepła. Odgrzewanie, trzymanie w piekarniku psuje smak. Grzanka musi być ciepła, a szpik gorący. Dlatego gdy grzanki dochodzą, to już trzeba wystukiwać szpik z kości, potem szybko go rozsmarować, nim zdąży ostygnąć, o właśnie tak. I pamiętaj, Waldziu, jeszcze o jednym: nie wolno za wcześnie solić, tu jest sól, proszę samemu posolić, tuż przed włożeniem grzanki do ust. Szpik powinien prawie parzyć usta. Tylko sól, w żadnym wypadku musztarda czy pieprz. Wszystko to zabije ten subtelny, delikatny smak.

Gdy tylko zacząłem się wiercić na taborecie, wziął ciotkę za rękę i poprowadził do izby na drugim końcu domu. Wyszedłem za nimi na korytarz, stanąłem pośrodku i zacząłem nasłuchiwać. Po chwili usłyszałem jakieś jęki, zawodzenia, stukot i szelest. Ciotka chyba się domyśliła, że podsłuchuję, bo nagle ujrzałem w drzwiach jej rozczochraną fryzurę. Każe mi pójść do siebie.

– Powinieneś się wyspać, jutro idziemy do Staszkówki w gości. Zapomniałeś?

Nigdy więcej nie zobaczyłem już Dzidka.

Kamienistą drogą przed siebie, niewielkie wzniesienie. Pod rozłożystym dębem figurka Matki Boskiej. Ciotka niesie wiklinowy koszyk, ja kopię kamienie, podskakując przy tym radośnie na jednej nodze. Bezchmurne niebo, powietrze ciepłe, przezroczyste, pusto i cicho, tylko natura hałasuje; jakieś ptaki, owady. Pąki kwiatów pozwalają nam sobie wyobrazić, co się wydarzy w przyszłości. Podążam za ciotką jak cień. Rękę wsunąłem do kieszeni, w której mam ukryty mały scyzoryk.

– A świnki tam będą?

– Będą.

– A krówki?

– Będą.

– A kurczątka, takie malutkie, żółciutkie będą?

– Nie gadaj tyle, bo cię zjedzą motyle.

Gdy znaleźliśmy się w pobliżu koni pasących się wzdłuż drogi, ciotka wzięła mnie za rękę. Jeden z nich podszedł bliżej. Odskoczyłem, gdy wielkie zwierzę znalazło się tuż przy mnie.

– Nie bój.

– Mogę poklepać gniadosza?

– Może lepiej siwka?

Wyciągnąłem dłoń, natychmiast jednak ją cofnąłem, gdy koń potrząsnął łbem.

– On chce mnie ugryźć!

– Nie, wcale nie. Ona chce z tobą porozmawiać.

– Skąd wiesz, że to dziewczynka?

– Poznaję po ogonie.

Ciotka poklepała konia po pysku z obawy, by nie zamarł w rozgrzanym powietrzu.

Piękny dzień, słońce grzeje. Muchy brzęczą, bezładnie krążąc nad grzywami koni. Pocę się i wycieram czoło rękawem kraciastej koszuli.

– Spieszmy się, bo coraz później się robi, żebyśmy nie musieli po nocy wracać.

Ciotka z werwą ciągnie mnie za sobą. Przed nami wierzchołek pagórka. Przemyka pszenica, jastrząb uniósł się nad ziemią.

– Musimy z czereśniami wrócić do domu, wejdziesz na drzewo i nazrywasz.

Lubiłem wspinać się na drzewa, przeskakiwać z gałęzi na gałąź. Zaczęło się od tych karłowatych jarzębin, wystarczyło się podciągnąć rękami i już byłeś na gałęzi.

Owoce jarzębiny sypały się na ziemię jak korale. Większym wyzwaniem były czereśnie, drzewa z gęsto zarośniętymi koronami; nie było łatwo przedzierać się z jednej gałęzi na drugą. Pomagał przy tym piękny śpiew – koronkowy, zwiewny, ptasi, figlarny, rozchwiany. Ściszony! Małe nutki. Rajem zaś zawsze był sad pana Wilgi. Różnorodność grusz i jabłoni. Jeśli miało się na coś ochotę, ślinka ciekła na jakikolwiek owoc, wystarczyło wspiąć się wysoko. Oczywiście wszystko zależało od wielkości i koloru jabłka albo gruszki. Jak na przykład po zielone czy po czerwone owoce, to może trochę dalej. I dobre były gałęzie po bokach, ale nie za daleko, przy pniu i tak do połowy konara, ale po prawej stronie przy pierwszych liściach zawsze był spory ruch, ktoś ciągle wchodził i wychodził, przeważnie spóźnione dziewczyny z koszykami. Nie lubiłem też zrywać z wykręconą na lewo lub prawo głową i nie chodziło tu nawet o patrzenie, tylko o podmuch wiatru. Zresztą nie ukrywam, że lubiłem widzieć i ręce, i twarze dziewczyn. Oczywiście najlepsze były koleżanki z tej samej klasy. Na jednej z gałęzi jest mnóstwo owoców. Żebym tylko nie utknął w pajęczynie. Nie każdy lubi mieć przed nosem same liście? Już lepiej mieć więcej miejsca na nogi. Niemniej skrajna gałąź bardzo obrodziła, to moja gałąź, umościłem się na niej wygodnie. Ciekawe, że w dobrym tonie było mówić, iż zajęte miejsce na drzewie dla nikogo nie ma większego znaczenia.

Idę ci raz obok plebanii i myślę, że najsmaczniejsze jabłka rosną w księżowskim sadzie. Rozejrzałem się chytrze po okolicy, za ogrodzeniem spacerują rozkrzyczane pawie. Ale co tam, nie trzeba się ich bać, pokrzyczą, ogony jak wachlarz rozłożą na całą szerokość i tyle. Przeskoczyłem przez płot, wetknąłem za pas pawie pióro i już jestem na drzewie, gdy nagle widzę księdza. Idzie rozgniewany, spieszy się i krzyczy. Już nie zdążę uciec, nie ma jak zerwać się z drzewa.

– Po co tak trzęsiesz gałęzią? – mówi do mnie. – Nie widzisz, ile jabłek pod drzewem leży? Złaź szybko, weź, ile uniesiesz, i pędem do domu, żebym cię tu już więcej nie widział, łobuzie!

Szybko ruszyłem przed siebie, zostawiając po prawej stronie białe chmury. Ciotkę spotkałem pośród leniwie płynącego czasu. Ruszyliśmy jeszcze inną drogą, niezbyt długą, pustą i gościnną. Po pewnym czasie ciotka spojrzała na maleńki zegarek na nadgarstku. Akurat znaleźliśmy się nad rzeką pogrążoną w słońcu. Na postrzępionych skałkach, kamieniach i skrawkach płaskich żwirowych poletek opalają się nagie ciała. Kobiety, mężczyźni, dzieci… leżą w niedbałych pozach, leniwie się przechadzają, kąpią. Niektóre obrazy wyglądają jak sesje z najlepszych katalogów. Blondynki w bikini, wysokie, ale nie za bardzo, szczupłe, ale nie kościste. Te, które nie są w strojach kąpielowych, ćwiczą jogę. Mężczyzn też nie brakuje. Przeważnie świetnie zbudowani, z gęstymi brodami, bez koszulek. Prężą się, rąbią drewno na ognisko. Jakiś kundel goni własny ogon. Widzę też sąsiada, pan Ludwik przywołuje nas, ale ciotka stanowczo odwraca głowę i mnie też każe nie patrzeć w tamtą stronę. Ona zna Irotę, wie, jaki z niego kawał chuja, że zawsze, przy każdej okazji dobiera się do niej, specjalista od stymulowania łechtaczki odpowiednimi ruchami kolistymi. Lecz dla ciotki najważniejsze jest w tych sprawach naprowadzanie, zaskakiwanie, rytm, zwielokrotnianie, znakowanie, ramowanie, warstwowanie i sygnalizowanie. Tylko że sąsiad nigdy nie potrafił doprowadzić jej na skraj orgazmu. Wygląda zbyt niezbornie i koślawo, żeby nie powiedzieć śmiesznie. Zresztą ona teraz nie myśli już o tych rzeczach. Jak tylko wróci do domu, weźmie się do dziergania, będzie szydełkować, haftować, projektować dzianiny i sprzedawać je we własnym sklepie, w którym półki zapełnione będą dobrej jakości oryginalnymi włóczkami. Stworzy klub dziewiarek, pasjonatek rękodzieła, gdzie napiją się kawy, zjedzą ciastko, dokąd przyjdą z robótkami, wzorami, projektami. Ale na razie tkwi w pozornej anonimowości swych kontaktów z otaczającym ją światem, jakby za matową szybą, oddzielającą ją od ludzi. Właśnie ta przeszkoda stała się dla jej żywej wyobraźni podnietą do snucia domysłów, ba... całych niesamowitych historii o tym, kto i dokąd podąża ulicą. Z czasem wyostrzyła uwagę, naiwne bujanie w obłokach fantazji zostało zastąpione solidną obserwacją. Może jedną z przyczyn były tu wspomnienia młodości, kiedy oddała pierworodne dziecko do adopcji, jego krzyż stał się jej krzyżem, jego poniżenie i hańba publiczna – jej poniżeniem i hańbą publiczną. Taki jest ludzki porządek. Tak to muszą odczuwać otaczający ich ludzie. To cierpienie jest jej własne, dotyka ją samą w głębi jej macierzyńskiej istoty – stanowi poniekąd jedność z cierpieniem pierworodnego dziecka.

Ciotka dobrze znała drogę, znała też dobrze miejsce, w którym należało naruszyć granice prywatności, by bezwstydnie podglądać życie sąsiadów. W środku otaczającego szosę z obu stron lasu była wąziutka przecinka. Kiedy przeszło się nią dwadzieścia, może trzydzieści kroków, znów po prawej stronie widać było gąszcz krzewów zarastających głęboką rozpadlinę, lej. Trzeba było wejść między te krzewy, aby w chaszczach, wśród liści i badyli wyczuć pod stopami równą piaszczystą skarpę. Tu należało już zachować ostrożność: pod jednym z krzaków rozpościera się babka z piasku, która raz zobaczona przestaje istnieć w umyśle, zabrana przez wodę. Ale jeśli wykonana babka z piasku wywoła wzruszenie i stanie się obrazem w wyobraźni, może się ukazać po latach, przypadkowo, kiedy znowu poruszy nas podobna emocja.

Tak, widzę dokładnie ten autobus, którym do Tarnowa jechaliśmy w upalny dzień. Szyby w oknach szeroko uchylone na nic się zdają. Ciotka wzięła mnie ze sobą, żeby syna odwiedzić w kryminale. Za co on się tam znalazł, trudno powiedzieć. Pamiętam, że któregoś dnia pojawiła się w domu milicja i ściągnęła go ze strychu, na którym się ukrywał. Ciotka przez parę dni chodziła tam do niego na górę z jedzeniem, nocnik opróżnić, pocieszyć, a kuzyn siedział cicho i bał się każdego skrzypnięcia drzwi. Co on wtedy narozrabiał, nie wiem. Chojrak był, to zapewne, do bitki gotowy w sekundzie. Niejednemu dał po mordzie, bo do wypitki, do wybitki skory, że hej. Nieraz powtarzał mi, że nie ma na co czekać, zawsze trzeba być pierwszym, z zaskoczenia brać każdego pod włos. Teraz siedzi za szybą skruszony, głowa pochylona, łepetyna ogolona do łysa. Ciotka papierosy mu podaje, herbatę. Do wyjścia niedużo już mu zostało, co rano zawzięcie odlicza dni. Odgraża się, że jak wyjdzie, to wszystkim pokaże, które pół dnia krótsze, jeszcze wszyscy go popamiętają, wyrówna wszystkie rachunki. Tylko ciotka go uspokaja, żeby się tak nie denerwował, wszystko się jakoś ułoży, nie ma się co mścić, przecież łatwo z powrotem do więzienia wrócić. Mówi, że pracę mu załatwiła, jak tylko wyjdzie, będzie kopał studnie głębinowe u pana Rossy, zleceń jest dużo, ludzi potrzeba do roboty, wszystko będzie dobrze. A kiedy usłyszeliśmy słowa, że to już koniec widzenia, ciężkie drzwi obrotowe się poruszyły. Twarz ciotki zajaśniała, oczy zabłysły, usta rozchyliły się lekko, policzki się zarumieniły jak u wstydliwej dziewczynki.

– A skoro już jesteśmy w mieście – mówi ciotka – to chodźmy do filharmonii.

Gdy tylko znaleźliśmy się w sali koncertowej, okazało się, iż brakuje wykonawców. Ciotka zajęła miejsce z tyłu orkiestry – trójkąt, na którym ma grać, wydaje piękny dźwięk. Mnie zaproponowano skrzypce. Tylko że ja nigdy nie grałem na żadnym instrumencie, no może poza gitarą z *Domu wschodzącego słońca*. Mieliśmy wykonać *Fantazję polską* gis-moll opus 19 Paderewskiego, ale ciotka stwierdziła, że skoro ze mnie żaden wirtuoz, to ona sama wykona *Fantazję* e-moll opus 13 na fortepian Lessela, gdyż w tym utworze są takie fajne plumkania, które ona bardzo lubi. Zaczęła grać pięknie, z należnym poetyckim wyczuciem. Ja zająłem się nagrywaniem koncertu. Włączyłem magnetofon. Niestety po bisie okazało się, że taśma rozwinęła się ze szpuli. Nic nie wyszło z rejestracji dźwięku. Po koncercie ciotka na moment zostawiła mnie samego, by pójść do kiosku po bibułki. Stoję, czekam, rozglądam się, jakiś ogromny plac, nie za bardzo znam to miasto. Jeszcze instrumenty mi ciążą, bo wiolonczela jakaś ogromna, waltornia, nie chcę tych instrumentów odkładać, żeby się nie pobrudziły. W końcu dzwoni ciotka i pyta, gdzie jestem, bo nie może mnie znaleźć. Mówię jej, że na Bagnistej czy Liściastej, sam już nie wiem, ulica jest ciągle w stanie wojny. Z jednej strony szlachetni Liścianie, z drugiej wstrętni Bagniści. Nagle pojawił się rower. Usiadłem na nim. Chociaż plątały mi się nóżki, zacząłem jeździć bez opamiętania wokół ciężkowickiego rynku.

I pewnie jeździłbym tak do usranej śmierci, lecz nagle ujrzałem, jak całkiem pijana ciotka wraca do domu. Do mieszkania. Stanęła w przedpokoju.

– Jest mi cholernie zimno – mówi do siebie. – Nie mam dla kogo jeść kolacji. Nie mam dla kogo ścielić łóżka. Nie mam dla kogo zamykać drzwi. Ta izba miała być radością, a stała się grobem. Nie czuję się samotna. Nie. Nie cierpię. Zmarnowałam dwa lata, które mogłam jeszcze spędzić z synem i matką. Byli tacy szczęśliwi. Mogę wracać do domu pijana o piątej nad ranem. Z facetem. Spać tu z facetem. Ze wszystkimi facetami świata. A wracam pijana o dwudziestej trzeciej. Bez faceta. Układałam sobie jakąś moralność. Układałam sobie siebie, budowałam sobie sens. Tak blisko już byłam. Chciałam wszystko zmienić. A potem... przecież nie chciałam być lepsza niż oni. To by było nie w porządku wobec nich. Nie chciałam mieć większych szans. Na nic nie patrzę. Niczego nie pamiętam. Czy kochałam matkę? Nie płaczę. Nie cierpię. Nie czuję nic. Zupełnie nic. Nie brakuje mi jej. Nie tęsknię za nią. Czuję jedynie pustkę. I poczucie winy, które wypala mnie od wewnątrz. Straciłam tyle lat. Kiedyś tyle lat uciekania od niej, potem tyle lat mijania się w progu. A przecież ją kochałam... przecież kochałam.

Po śmierci jej matki ciotka się rozchorowała. Zawsze wiedziała, kiedy było coś nie tak. Cały czas miała takie ciepłe dłonie. Spokój. Ostatnio nie mogła znaleźć swojej izby.

– Nie wiecie, gdzie jest moja izba? Wydaje mi się, że Jakub w niej jest, że Jakub ostatnio na mnie patrzył. Oczami bym jadła, nie mam siły pościelić sobie łóżka. Ja tu już nie mieszkam, możecie mieć wszystko, co chcecie. Boże, nie podlałam kwiatków. Przepraszam. Musiały zwiędnąć. Boże? Jesteś? Przecież przed chwilą byłeś. Boże? Masz chwilkę, chciałabym porozmawiać. Boże. Boże, kocham Cię. Boże, chciałam Cię przeprosić. Że się rozchorowałam, że nie mogę jeść. Że w ogrodzie nie mam siły już pracować. Jakubie, przepraszam, że tak mało z tobą rozmawiałam. Kocham cię. Wiem, że nigdy ci tego nie mówiłam. Nie miałam czasu. Ale kocham i dopiero teraz widzę jak bardzo. Boże, chciałabym, żeby Jakub wrócił. Zrobię mu kanapki i herbatę. Boże, niech wróci, tak bardzo za nim tęsknię.

Przypomniała sobie, że kiedyś, bardzo dawno temu, miała niezawodne lekarstwo na ból. Wystarczyło wtedy jedno pociągnięcie i ból przechodził w otępienie, pewną hipnotyczną fascynację widokiem krwi, własnej krwi.

– Boże, kiedy wróci Jakub? Długo go nie ma, chciałabym wiedzieć, kiedy będzie z powrotem. Boże, nie pozmywałam, przepraszam. Ale za chwilę pozmywam. Boję się. Nie mogę spać. Nigdy nie mogłam spać, ale teraz nie mogę jeszcze bardziej. Boję się, kiedy jest cisza. Kiedy jest jasno i kiedy jest ciemno. Jakubie, pamiętam, że też się bałeś. Kiedy miałeś jakieś problemy, zostawałeś sam w domu, czasami się bałeś, nie chciałeś wychodzić na korytarz. Czasem płakałeś, a ja nie wiedziałam czemu. Nie przez tatę, bo ojca nigdy nie poznałeś. A potem cię zamknęli i długo nie pozwalali odwiedzać. Boże, czemu te wszystkie ściany tu jeszcze stoją? Boże, nienawidzę tej izby. Po co się urodziłam? Lepiej było się w ogóle nie urodzić.

IV

Numer 17:

> pan Antoni Sojat
> odszedł w wieku 68 lat

Ruszyliśmy z matką na Baranią Górkę, wspinamy się wysoko, dosyć wysoko, ale nie na tyle wysoko, by nie móc wejść jeszcze wyżej. Dlatego też postanowiłem wdrapać się na rosnące na szczycie drzewo. Uczyniłem to bez najmniejszego wysiłku. Śmiało poruszam się po konarze, nie tracąc równowagi. Po chwili wydaje się, że zaraz spadnę. Matka przysłoniła dłońmi oczy, gdyż nie może patrzeć na moje figle. Nagle uświadomiłem sobie, że podążam po pięciolinii. Nawet krzyknąłem do mamy, że ten grubszy konar to uwertura do *Parsifala*, a gdy przemieściłem się nieco dalej na cieńszy koniec gałęzi, że to *Arbor cosmica* Panufnika. Zacząłem zrywać liście, gwiżdżąc na nadchodzące niebezpieczeństwo. Matka gdzieś zniknęła, więc gdy zszedłem na ziemię, zacząłem jej szukać, myśląc sobie, że pewnie wstąpiła do jakiejś lodziarni i o mnie zapomniała. Postanowiłem zatem kupić sobie bilet do filharmonii, bilet długoterminowy, ważny nawet na koncerty w innych miastach.

Schowałem go do wewnętrznej kieszeni marynarki. Pomyślałem, że przechodząc obok filharmonii, będę mógł zajrzeć do niej bez względu na repertuar, lecz zamiast na koncert trafiłem do sutereny pana Sojata, który siedział na sofie i popijał winko. Skoro już się u niego znalazłem, zapytałem, czy nie zabiłby dla mnie królika, żebym miał na obiad, dobrze zapłacę, a i po następnego bełta skoczę na jednej nodze, żeby się nie nudziło przy skórowaniu trusia. Pan Sojat przystał na to z ochotą, wyznaczył cenę i podszedł do pierwszej z brzegu klatki, by wybrać dla mnie dorodnego samca. Ja wziąłem puste butelki po winie, włożyłem je do siatki i ruszyłem do rynku po zakupy, przy okazji stając się ofiarą tych wszystkich, którzy zaczęli mnie obserwować. Kiedy czuję na sobie ich wzrok, natychmiast staję się tym, kim oni mnie widzą. Ale co tam, chuj z nimi, najważniejsze to się nie przejmować, kupić co trzeba i z powrotem do sutereny pana Sojata, żeby uśmiercić niewinne zwierzę. Przed sklepem ludzie wyglądają tak, jakby zasługiwali na to, aby żyć. W kolejce przy ladzie wyglądają zaś, jakby to, co najgorsze, mieli jeszcze przed sobą. Mógłbym się złapać za głowę, lecz jestem już na zewnątrz, ubogi duchem, smutny i cichy, miłosierny i czystego serca. W drodze powrotnej patrzę na ludzi łażących po ulicy, szukających natchnienia i sensu codziennego życia, szukających ducha za zakrętem. Piekło jest najstraszliwszym wynalazkiem człowieka. Doprawdy trudno zrozumieć, że po takim wynalazku można się jeszcze po człowieku spodziewać czegoś dobrego.

Pan Sojat stoi w drzwiach sutereny, trzyma królika za uszy, ten się szamocze, wierzga, chce się wyrwać z uścisku, uwolnić, uciec. Ale nic z tego. Mówię Sojatowi, że w drodze powrotnej minąłem się z Irotą. Powiedział, patrząc mi prosto w oczy, że ma poczucie mocy, gdyż oderwał się od codziennego poczucia bezsilności. Sojat na to, że Irota nie wie, kim jest, kim są inni ludzie, że na pewno spotkałem go w połowie drogi. Przytaknąłem i dodałem, że złapał kota za ogon, zakręcił nim i rzucił jak lassem, że daleko poleciał. I powiedział jeszcze, że pies go polizał w piętę. „A co ja szynka jestem?"

– Nie marudź, wchodź, pomożesz mi zabić i oskórować królika.

– Prędzej bym sobie wyłupił oko i rzucił daleko od siebie albo sobie odciął rękę i rzucił daleko od siebie, ale wypruwać flaków zwierzętom nie będę, nie splamię się żadną krwią.

– Ależ jesteś delikatny, zawołam wnuka, to mi pomoże, a ty otwórz wino i polej.

W poszukiwaniu szkła trafiłem do warsztatu, tam gdzie różne koła zamachowe, śrubokręty, kantówki, winklówki i inne łańcuchy, ośki, łożyska i trociny. Kamień do ostrzenia noży się obraca. Mam poczucie, że diabły poszły spać, z korzyścią dla stępionych tasaków. Ostrzałka obraca się czule, czasem wręcz delikatnie i dogłębnie rozważnie. Pamiętam to pomieszczenie sprzed lat. Dawno temu mama wraz z panem Sojatem zakupili wieprzka na święta Bożego Narodzenia i to tutaj świnia zawisła u sufitu, by można było ją rozebrać do kości. Pan Antoni musiał uważać, by mocz nie rozlał się po wnętrznościach, więc delikatnie usunął pęcherz moczowy. Patrzyłem na to z zaciekawieniem, ale też targało mną obrzydzenie, że tylko uciec, albo co innego. Ciekawość jednak stała blisko, bliżej niż wszystkie inne odczucia. Nóż wprawnie oddzielał skórę od mięśni, ogonek upadł na klepisko. Wszystko to widzę jak na dłoni. Tuszę tak bezbronną, że już bardziej nie można, do dna, z odciętym ryjem. Wszystko, co potrzebne do sprawienia ciała, znajduje się w specjalnej czarnej torbie, zwanej „zestawem do wypadków z udziałem różnych stworzeń”: lateksowe rękawiczki, maseczka, środek dezynfekujący, spray do czyszczenia śladów krwi, płachta do przenoszenia ciała, kombinezon, żółta taśma z napisem „Wstęp wzbroniony”, plastikowe plandeki do ogrodzenia miejsca. Jak tu się zachować… niekonwencjonalnie… Skąd ja się tu wziąłem? Chodzę samopas, gdzie chcę, fabrykuję fałszywe ślady, zacieram prawdziwe. Ależ to się rzuca w oczy. Żaden, żaden człowiek tak nie postępuje. A więc? Kim jestem? Co widzę? Gdzie się podziać, dokąd pójść? O, gdyby teraz można było umrzeć, zapaść się pod ziemię, ale śmierć nie przychodzi na żądanie, żeby ratować od klęski najgłupszych… Jeśli jestem kimś obcym, dlaczego nikt nie zwraca na mnie uwagi? Ziemia zawirowała mi pod stopami.

– Gdzie mieszkasz?

– Pytasz o kraj, miasto, ulicę, dom czy konkretny pokój?

– Tak tylko pytam. A może wiesz, dlaczego Jezus śpi na krzyżu?

– Nie wiem.

– Dlaczego Jezus nie ma bucików?

– Tego też nie wiem.

– Czego jeszcze nie wiesz?

– Co to jest czas widoczny, czas namacalny, czas zapisany.

– To zapewne bycie równocześnie księciem Hamletem i Łazarzem.

Spod białego ręcznika widzę róg koronkowej serwety, kobiece łydki, całkiem niezgrabne, pękate, z nielicznymi żylakami. Nad nimi rąbek zielonej spódnicy. Widziałem gdzieś niedawno kobietę w zielonej spódnicy. Ale gdzie?... Świadomość wraca powoli. To Tekla, żona pana Sojata, naciska pedał maszyny do szycia. Coś przyszywa, igła terkoce, jakbym słuchał jednej z toccat Bacha. Wstałem spod stołu i pytam ją, czy moje spodnie gotowe. Łatki miała mi ponaszywać, dziury połatać, dużo łatek, żeby jedna na drugiej, prosto i solidnie. Niech się w szkole dziwią, włosy też zetnę, głowę na łyso ogolę. A co mi tam.

– Waldziu, może kliny ci powstawiać u dołu między szwami, będziesz miał szwedy, teraz takie modne.

Nic z tego, ja przeciw modzie, pod prąd, jak zwykle. I dalej pytam panią Teklę, czy moje spodnie już gotowe, spieszę się, który to już raz przychodzę, a spodnie niegotowe. Dzieci bawią się łatkami.

– A Tosia mojego nie widziałeś? – pyta.

Widziałem go, więc odpowiadam, że mlecze zrywa u nas w ogrodzie, młodziutkie mlecze, świeże. Mówię i kręcę się, i słucham terkotania maszyny krawieckiej, stopa coraz mocniej naciska na pedał, inwencje dwugłosowe, dzieci się bawią, syrenę strażacką naśladują, wyją po kątach, po zakamarkach, których u Sojatów nie brakuje. Spodnie niegotowe, pani Tekla każe mi przyjść jutro, do jutra się wyrobi, na jutro będą zrobione, przecież mam co na tyłek włożyć. I już moja samowola w mieszkaniu Sojatów dobiega końca. Czas się przenieść na podwórze, pogrzebać w śmietniku, w koszu ze śmieciami stojącym przy ulicy niedaleko mojego domu. Dzisiaj środa, zaraz się zejdą ludzie, sąsiedzi, znajomi, rodzina gościnnej pani Tekli wszystkich godnie ugości. A niech lgną do pieniędzy, niech się napiją, ładnie ubiorą do kościoła, niech sobie pogadają o cyckach, o ciążach, niech posłuchają lekkiej muzyki. A taki Kościół od dawna uczy ludzi, żeby nie kradli, nie zabijali, nie cudzołożyli, nie kłamali, piekłem straszy – i kto się tym przejmuje? No kto? O wy, tchórzliwi wobec silniejszych, bezwzględni wobec słabszych, egoiści dbający tylko o to, co tu i teraz. Sąsiadka, jeszcze w drzwiach stojąc, mówi do mnie, żebym mamę zapytał, czy jajek nie potrzebuje, ostatnio dobrze niosą. Kur wokół rzeczywiście sporo, gdaczą, dziobią, wszędzie nasrane, że przejść trudno. Kogut zapiał, pies zaszczekał, pies na łańcuchu szarpie się i złości, na kota szczeka, za kotem chce pobiec, więc się tarmosi. Tosiek podszedł do mnie z kijkiem, psu wygraża, kury pogania, bo się z kurnika rozbiegły po podwórku. Na dach mojego domu pokazał kijkiem, dachówka mu się nie podoba, że już jak rzeszoto się zrobiła, trzeba pomyśleć o wymianie, o rynnach zardzewiałych, przeciekających. Ale co to go obchodzi, choć wiem, że ma rację. Że on tu, w centrum swego świata, wszystko widzi, wszystko chce naprawiać. Gleba podmokła, stoimy nieruchomo, jego dłoń w górze, ja obok, jak zawsze, od zawsze, nic się nie zmienia, ten sam podjazd od lat, górka, trawa, szopa, stodoła, grusza urosła. Patrzę na pana Sojata i widzę, że się postarzał, twarz pobrużdżona, nogi ledwo go niosą. On na mnie patrzy. I co widzi? Przecież nie mnie sprzed trzydziestu lat, kiedy też tutaj stałem, gdy wieprzka żeśmy rzezali. Gdzie ten czas, co z nim? Jest czy go nie ma? Antek nadal lubi sobie używać, gust ma pospolity, nie znosi niczego, co się wyróżnia. Odkąd przeszedł na emeryturę, nudzi się i żyje w pustce. Jego świat jest bardzo ubogi. Nie lubi myśleć, a na pewno myśleć niezależnie. Jest pasywny we wszystkim z jednym wyjątkiem – cechują go bowiem ciekawość i wścibstwo, toteż uwielbia sensacje, zwłaszcza te ponure. Jego dłoń, ciągle zawiśnięta w powietrzu, pewnie na niejedno jeszcze wskazuje, czego ja nie dostrzegam w swym obejściu. Na Irotę nagle zwrócił uwagę, stojącego u siebie w progu. Pewnie chciałby mi coś o nim powiedzieć. Mógłby powiedzieć, że co z tego, że Irota miłuje Jezusa, skoro dla innych nie jest szczodrobliwy. Jest egoistą, sybarytą i chytrusem. Irota nie lubi filozofii, bo jej nie rozumie, sztukę chciałby podporządkować swoim gustom, niszcząc to, co oryginalne i wyrastające ponad smak przeciętności. Podejrzliwie odnosi się do ludzi nauki, zwłaszcza do teoretyków. Coś mi się wydaje, że Tosiek jest za te same pieniądze, lubi mięso z grilla, napoje gazowane, wąsy, wódkę, węgiel, polowania, psy i wilki. To co ja tu robię, w tej rozmokłej brei, dlaczego jeszcze stoję jak ten chuj, gdzie trudno się doprosić o rower, wodę niegazowaną, chleb razowy? Tutaj nikogo nie interesują wiatraki, sandały, psy ze schroniska, zachodni intelektualiści. Nikt tutaj nie wpuści na podwórko meksykańskich Indian, mieszkańców normandzkiej wyspy Guernsey, wyspiarzy z Man, Lapończyków mówiących językiem saami, Buriatów z Mongolii, Basków, Kaszubów, Poleszuków, Łemków, Hucułów. Ciągle jednak niepokoi mnie czas jakby nieistniejący. Gdy spoglądam do tyłu, widzę siebie zataczającego odwieczny mistyczny krąg. Czyż nie piękna i jakże wymarzona sytuacja? Spotkanie z samym sobą biegnącym ze szkoły przez ogródek Sojatów. Z samym sobą, mieszkańcem niskiego drewnianego domu po sąsiedzku. Z samym sobą beztrosko myślącym, że życie to droga bez końca, a zachowanie młodości to cel sam w sobie, i wreszcie z samym sobą znajdującym się na właściwej drodze do przemożnego świata. Spoglądam na swój dom i widzę okno, a w nim, w oknie stoję ja. Przez okno widok na podwórze Sojatów. Tosiek stoi przy schodach, ręce złożone do modlitwy, klepie zdrowaśki zwrócony w stronę kościelnej wieży, gdyż jak nie pije, nie upija się, w modlitwie szuka pocieszenia. O, wiewiórka na gałęzi, i sroka, ale wiewiórki już nie ma, pan Sojat stoi i się modli. Skoro raz przyjął kielich z rąk Ojca, chce go wypić do dna. Właśnie tego chce. Przyjmuje wszystkie słowa obelgi, które zdają się unicestwiać całe jego życie na emeryturze. Przyjmuje wszystkie słowa żony, dzieci, wnuków i nie chce im niczego przeciwstawiać. Chce być zelżony, gdyż tylko przez zniewagę stanie się wola Boża. Jest do końca, do każdego szczegółu wierny swemu losowi.

I gdy tak stoję przy oknie w swoim pokoju, wchodzi matka i pyta, czy widziałem dzisiaj Teklę, gdyż martwi się o nią, o Tośka też się martwi. Więc mówię, że właśnie widzę, jak Tosiek stoi przy schodach i się modli. Kury gdaczą, dziobią, wiewiórka przed chwilą skradała się po gałęzi, sroka przysiadła na chwilę. Zbiera się na deszcz. Matka podeszła do okna, lecz dla niej widok z niego jest chyba zupełnie inny. Tekla widzi mnie ze swojego podwórka, jak stoję przy oknie, do mnie i o mnie chce mówić, że niepotrzebnie piję z Tośkiem, nie powinienem z nim chlać tych win, Tekla się żali, że go rozpijam, że on nie powinien pić, dobrze, że przestał palić. Ledwie chodzi, biedak, nogi już nie chcą go nosić. Jak idzie do rynku, nie wiadomo po co, musi co chwilę przystawać, żeby odpocząć. Ale po co on do tego miasta chodzi, włóka jedna, przecież w domu ma wszystko, jak piwa zabraknie, to zawsze znajdzie się ktoś, kto poleci i przyniesie, żeby nie usechł z pragnienia, lepiej niech królików dogląda, bo kosić trawy to już nie bardzo może, ale pewnie za tydzień weźmie się do skoszenia tych pokrzyw, co tak urosły między porzeczkami.

Ktoś puka do drzwi. O, jest i moja farmaceutka, witaj, Eulalio, zaskoczony jestem. Cieszę się, cieszę, wchodź, rozpłaszcz się, butów nie musisz zdejmować, zaraz zrobię ci coś do picia. Ale widzę, że minę masz nie bardzo rozchmurzoną. Za oknem też niewesoło, chodź, popatrz, widzisz, pani Stępniowska idzie, powłóczy nogami, wiatr chce ją przewrócić, bo ona przecież już niemłoda, przygarbiona, wspiera się laską, żeby się nie przewrócić. Potrzebuje na co dzień jakichś podpórek, wsparcia, różnego rodzaju protez. Widziała cię idącą do mnie? Nie, to dobrze, no co tak stoisz, usiądź sobie, kawa, herbata, a może łyk czerwonego półwytrawnego wina? A co tam przez drugie okno widać? Chodź, popatrz, Tosiu kury przegania patyczkiem, spogląda na ulicę, bo ciekaw, kto tam przechodzi, dokąd idzie, po co. Teraz ludzie mało chodzą piechotą, więcej się wożą. Tosiek upatruje różnych zdarzeń raczej w tym, co się wokół niego dzieje – w losie, w przypadku – niż w sobie samym. Królika dla mnie sprawi, mama powinna przyrządzić go z warzywami, palce lizać, później cię poczęstuję, najpierw coś do picia podam. Tamto okno zostaw w spokoju, stamtąd nic nie widać, ich dom niżej usytuowany, Sojatowie musieliby na dach swojego domu wejść, by zaglądnąć tu do nas. Nie obawiaj się, nikt nas nie będzie podglądał, podejdź jeszcze do następnego okna, co widzisz? Nie podoba ci się mój ogródek, za bardzo zarośnięty, nie miał kto skosić w tym roku, wszyscy zajęci poważniejszymi sprawami. Patrz na tego kota bez ogona, wszędzie go pełno, wiewiórki się bawią, Ognisty Ptak przysiadł na sznurze do suszenia prania.

Podmuch wiatru pozwolił mu wzbić się w powietrze. Gdy przefrunął kilka metrów, z ogona wypadło mu złote piórko. Mógłbym pójść i przenieść je do domu, ale obok mnie Eulalia, przymila się, łasi, kokosi. Nie chcę jej samej zostawiać nawet na moment, muszę jej zaparzyć coś do picia. Ona już zła na mnie, że poświęcam jej tak mało uwagi. Jeszcze do jednego okna podeszliśmy, by zobaczyć miejsce dobrze nam znane, gdzie stała chata pokryta strzechą. Ile to już lat, jak zakradałem się do tej lepianki, w niej przecież Eulalia żyła sama z maleńką córeczką. Ze trzydzieści lat temu to było. Po równo ułożonych kamieniach do sieni się wchodziło, dalej klepisko, brak wody, lampa naftowa. Pamiętasz, Eulalio? Siadaliśmy przy stoliku, bazgrali na kartkach liniowanych różne miłosne frazesy, bo zakochiwaliśmy się w sobie – ja młody żonkoś pokłócony ze światem, ty panna z dzieckiem. Mieliśmy tylko siebie, byliśmy na siebie skazani, hulaliśmy pod drewnianym sufitem do utraty tchu. Bez przyszłości, bez widoków na cokolwiek prawdziwego, z pytaniem, po co my, czy powinniśmy być. Przedzierałem się po omacku przez kołdrę w poszukiwaniu najmniejszego kawałka twojego ciała. Odgarniałem ci włosy z karku, czując twój gorący oddech. Przeciągałaś się zwinnie jak na pokuszenie. Udawałaś, że niby przypadkiem chcesz rozciągnąć kości, zrobić mostek, ale doskonale wiedziałaś, jak to na mnie działa. Wyginałaś biodra, głaszcząc się po brzuchu i pomrukując. Moje dłonie na twoich biodrach. Powoli schodzą niżej i niżej, a twoje pojękiwania stają się coraz głośniejsze. Przyciskam się z całej siły do twojego ciała, by go dotykać, smakować je, wąchać. Po chwili widzę twoją cipkę w całej okazałości – jest wszystko: skóra, włosy na wzgórzu łonowym, łechtaczka, wargi sromowe. Wzrusza mnie, że nawet nieliczne krostki są widoczne. Nic mnie nie dziwi. Nie odczuwam żadnego lęku przed waginą, chociaż wygląda dosyć żarłocznie. Zaczynam przesuwać palcem. Uczucie jest przednie. To jakby zarabianie ciasta. Głaszczę twoją pochwę, muskam, pieszczę, obstukuję, zataczam koła, czuję, jakbym grał w najzwyklejszą grę. Nasze oddechy mieszają się i nie wiem już, który jest mój. Nie wiem, gdzie jestem. Czuję tylko, że doprowadzam cię do orgazmu. Wiesz, o czym mówię, prawda? Ciepło przepływające od koniuszków palców stóp aż po cebulki włosów. Słodko drażniące. Upajająco zwodnicze. To było już tak dawno, a teraz za oknem puste miejsce. Nie stój tak za mną, zaraz zrobię ci coś do picia, na pewno będzie ci smakowało, a tam dalej kiedyś stał wychodek, wiatr go przewrócił, gdyż cały spróchniał już był, psa też tam niedaleko pochowałem, zdechł ze starości, wykopałem dołek i przysypałem sukę ziemią, od tamtego czasu śnią mi się członkowie rodziny, jak po kolei grzebię ich w ogrodzie, co rusz zakopuję ojca pod jabłonką. A gdy znów jestem chudym nastolatkiem, jakaś miła pani proponuje mi, żebym wykonał *Koncert fortepiano-wy* Lutosławskiego, *Koncert fortepianowy* Czajkowskiego i *Koncert skrzypcowy* Brahmsa – wszystko jednego dnia. Więc nadchodzi dzień występu, a ja nawet nie mam nut i nie wiem, jak je zdobyć. Rodzice cały czas są w domu i wstydzę się przy nich ćwiczyć, zresztą nie bardzo jest na czym, bo pianina ani skrzypiec nie mam. Do tej pani wstydzę się odezwać, dwa tygodnie temu jeszcze by znalazła jakieś zastępstwo, ale teraz jest już za późno. Myślę sobie, że w Czajkowskim trzeba na początku zagrać akord b-moll, a potem jakoś to pójdzie, zresztą może dostanę te nuty. Nadchodzi dzień koncertu, mama ubiera mnie w kraciastą flanelową koszulę i czarny sweter zapinany na zamek błyskawiczny, w rękawie znajduję czarną skarpetę i martwię się o to, gdzie się podziała druga. W końcu wychodzimy i początkowo idziemy pieszo, rodzice spotykają po drodze jakąś znajomą i bardzo długo się z nią witają, umawiają, ja widzę panią Teklę, więc biegnę do niej, nawet nie wiem po co, ale to moja sąsiadka, powinienem się ukłonić, jak przystało na dobrze wychowanego chłopca, a może już mężczyznę, niech Tekla to oceni. Patrzy na mnie, chwali mój szkolny mundurek, że taki dopasowany, wyprasowany, kołnierzyk sztywny, wykrochmalony. I pyta mnie, skąd wracam, że jestem w takim dobrym humorze, że ona Tośka szuka, bo wyszedł z domu o świcie i do tej pory nie wrócił, gdzie on się podział, ta cholera jedna, gdzie jesteś, piękny świecie? Pije gdzieś pewnie z lumpami, nie wiadomo tylko, za którą stodołą, nieraz wychyliliśmy lampkę wina, gdy ledwie się trzymał na nogach, a później musiałem go prowadzić do domu, pod ramię, wręcz wlec za sobą bezwładne ciało, przekonany, że już nigdy więcej, bez chęci zlania się w jedno. Ile to już razy, w kółko, a wszystko po to, by nie myśleć, że Tekla, że Antoni, że oni tam u siebie w obejściu, że spodnie niezwężone, łatki nieponaszywane, kury rozgdakane, a co z królikiem? Wstawić czajnik na piec, spojrzeć na wiewiórkę, zrobić herbatę, odwrócić się na pięcie i zapomnieć o świecie, udając, że się nie wie, o co chodzi, w końcu jeszcze raz uwierzyć w siebie, przestać mówić pełnymi zdaniami, nadal podpatrywać, czajnik, herbata, wina i pokuta, te wszystkie achy i echy. W rezultacie Sara wypędza Hagar, Ewa nienawidzi Lilith, Balladyna zabija Alinę, pan Sojat ćwiartuje mięso królika, kładzie je na stole, chce mi pomóc naprawić prysznic, no bo przecież cieknie, jak tak można powtarzać ciągle ten sam wątek, otóż zapewniam wszystkich, że można, oto jestem tego żywym przykładem, to znaczy byłem żywym przykładem, kiedy jeszcze można było o mnie powiedzieć, że żyję, wcale się nie spieram, tak, znam te wszystkie teorie, nawet najbardziej interesujące, zniuansowane, stylistycznie najsubtelniejsze, wyrafinowane czy po prostu, bo ja wiem, mądre bądź wymijające, i żeby w obejściu sąsiada nie było nikogo znajomego, żadnych starców sprzedających starzyznę, żebraków, i od razu kupić bilet powrotny, na wypadek gdybym się rozmyślił, dziękuję, wsiąść, usiąść, zasunąć zasłonki, zaraz, przecież tu miały być zasłonki, ja chcę zasłonki, nie wpadać w panikę, nie dać się sprowokować i zasnąć, obudzić się, rozejrzeć wokół, stanąć przed lustrem, przyjrzeć się sobie, pomodlić się, położyć dłoń na tafli szkła, udusić królika w warzywach.

V

Numer 110:

pani Bronisława Duszewicz
odeszła w wieku 76 lat

Pani Bronisława pracowała na porodówce. W tamtym
czasie, gdy byłem dzieckiem, nie wiedziałem, czym dokładnie się zajmowała, czy była położną, a może salową,
na pewno nie lekarką. Najbardziej cieszyło nas to, że
zostawała na nocną zmianę w pracy, tak że mogliśmy
bawić się w jej domu do świtu; później, gdy można było
zadawać się z dziewczynami bez ogródek – nawet do
rana. Należało się ulotnić przed jej powrotem z dyżuru.

Dzisiaj dom stoi opuszczony, niejako zabytek, jakoś
tam opanowany przez świadomość. Niekiedy, gdy wracam do siebie z zakupami, zachodzę na podwórko pani
Bronisławy, gdzie stała ocembrowana studnia, i patrzę
na zmurszałą okiennicę. I znowu ten czas – jest czy go
nie ma? Czas nie istnieje. Istnieje tylko nieskończoność,
odrywanie się od życia. To spoglądanie w głąb studni, jak
niegdyś. Ileż to razy tutaj się znajdowałem. Wchodziłem
do środka, chociaż nikt mnie nie zapraszał. Drzwi zawsze
były otwarte i lekko poskrzypywały. Poza tym żadnego
głosu, żadnego ruchu. Malutka spiżarka przy kuchni,

pełna półek, półeczek. W kuchni kredens, miednica, stół, za oszklonymi drzwiczkami grzybki w occie, korniszony, weki z pomidorami. Mało rzeczy konkretnych. W dużym pokoju Edward leży, noga w gipsie, którą złamał, zjeżdżając na rowerze z Baraniej Górki. Widzę Edwarda, widzę siebie, ile mam lat? Trzynaście, czternaście, już nie pamiętam. Miednica, wiadro z wodą, lustro na ścianie. Czy miałem dość czasu, by się zastanowić nad każdą butelką wódki, nad rzędem nalewek, nad pętami suchej kiełbasy, puszkami szynki konserwowej, nad wieńcami suszonych i słoikami marynowanych grzybków? Słońce świeci prosto w okno przez liście lipy i w tym klarownym świetle monstrualne zapasy zaczęły nabierać osobliwego wyrazu. Pani Bronia to ten typ gospodyń, które suszą i marynują na zimę tyle produktów, że wiosną muszą je rozdawać sąsiadom. A może spodziewa się najazdu Tatarów, wojny światowej, może to nie tylko zamiłowanie do przetwórstwa. Na wojnę ludzie gromadzą suchary, mydło, sól, spirytus, a nie miód pszczeli. Patrzę ciągle za siebie i widzę, jak pani Bronia stoi przy kuchennym piecu, warzy coś w garnczku, każe mi usiąść przy stole.

– Żurem cię poczęstuję, tylko słoninki stopię, Edkowi też zaniosę, jak zjecie, będziecie mogli pogadać.

– Ale ja nie lubię skwarków, nie zjem.

– Samego tłuszczu ci dam, skwarki odłożę, przecież nieraz już tak jadłeś.

– Jeszcze grzanek bym poprosił, lubię z grzankami, u pani takie smaczne, dobrze ususzone.

– Dam ci, poczekaj chwilkę. Już ci nakładam, weź sobie łyżkę, wiesz, gdzie jest.

– A jajko, a kiełbaska?

– Wszystko dostaniesz, cierpliwości, tak zgłodniałeś, ile lekcji miałeś dzisiaj? Przecież dopiero południe.

– A kiedy przyjdzie Celina?

– Już powinna być, zdążysz się jeszcze z nią pobawić.

– Ja chcę z Edkiem!

– Skóra pod gipsem go swędzi.

Tak to jakoś pamiętam, jak pani Bronia nalała mi żuru i skwarki skwierczały na powierzchni, że aż w brzuchu burczało. I zapewne zapytałem ją wówczas z ciekawości, co ona tam na tej porodówce robi – wkładała właśnie do miednicy z ciepłą wodą biały fartuch. Przypominam sobie, że o noworodkach coś wspomniała. Małych dzieciach, niemowlaczkach, braciszkach, córeczkach, nowo narodzonych, jak Jezusek w Betlejem. Z włoskami na głowie, z zamkniętymi oczkami. Leżą i płaczą, nic jeszcze nie wiedzą, co się wokół nich dzieje, skąd przyszły, dokąd będą zmierzać. Ale już można powiedzieć, że będą powołane do największego zaszczytu, jaki może spotkać człowieka. Do przelewania krwi za ojczyznę. Będą bronić Polski przed wrogiem zewnętrznym, jeśli nas napadnie. I będą bronić Polski przed wrogiem wewnętrznym, który już jest! Czy pani Bronia mogła powiedzieć coś takiego czterdzieści lat temu? Wszystko mogła powiedzieć. Młoda była, zdrowa. W chwili gdy nalewała mi żur do miski, w drzwiach stanęła Celina. W niczym nie przypominała szkolnego podlotka. Ogromnie podobna do matki, jasno-włosa, ogorzała od słońca i wiatru. Nie tyle ładna, ile mocna, rasowa, dorodna. To wszystko, co u matki pod-kreślało męską urodę, u niej było cechą dziewczęcości. Ubrana w dżinsy i jakąś lekką, głęboko wydekoltowaną bluzkę, mogła obfitością odsłoniętych wdzięków przy-prawić o zawrót głowy. Czy ujrzałem ją akurat w chwili, gdy wrzucałem grzanki do żuru? A może to było kiedy indziej, jeśli przeszłość czerpie swoje znaczenie z teraź-niejszości. Suma spojrzeń, błogość myśli. Nie pamiętam dokładnie. Luki w pamięci są obezwładniające. I to wów-czas, jak tylko zjedliśmy żurek, Celina poprosiła mnie, bym wyszedł z nią przed dom i pomógł jej rozłożyć na-miot w zagajniku Witka Wilgi. Pokazała mi, gdzie się ów namiot znajduje. Teraz tylko znaleźć właściwą polan-kę. Najważniejsze to wiedzieć, czego się szuka, ale daw-no tu nie byłem i nie mogę odpowiedniej drogi znaleźć. Zamiast znajomych starych drzew straszą gołe poręby. W końcu trafiłem nad rzeczkę. Namiot stary, nic w nim nie pasuje, składa się i rozkłada nie bez oporów. Strugam coraz to nowe kołki, wiążę pękające linki. Celina powin-na niebawem się pojawić. Pewnie umówiła się z jakimś chłopakiem, żeby sobie z nim pobyć w samotności. Może noce, gdy pani Bronia ma dyżur, już nie wystarczą Celinie do amorów? Z całej siły zaciskam powieki. Bezwstydnie podglądam. Kiedy dociera do mnie, co się dzieje, czu-ję tylko twardnienie penisa. Jego ręce i jej ręce. Jego cia-ło i jej ciało. Wspólna gra złudzeń. Wstrzymuję oddech.

Przekraczam granice. Strząsam z siebie resztki wstydu, obnażam ukryte dotąd rejony. Początkowo nie zauważam kolejnej pary rąk. Triangulacja doskonała. Czuję tylko, jak coś wtłacza mnie w sam środek piekła i zaciska mi obręcz na szyi. Widzę tylko jego ręce na jej ciele. Jej ręce na jego ciele. Zamykam oczy. Wrzenie krwi, mój fallus robi się mokry. Po co na to patrzę, dlaczego podglądam? Bosymi stopami stoję w trawie, trochę zimno. Pani Bronia idzie ścieżką, prowadzi na łańcuchu krowę do pola. Woła mnie, żebym do niej podszedł. Pyta, czy nie widziałem gdzie Celiny.

– Krowa musi się najeść, ja nie mogę jej pilnować, mam dużo pracy w domu, po dyżurze jestem, wszystko na mojej głowie. To może ty popilnujesz jałówki, do kołka ją uwiąż, niech sama się pasie. Jak tylko Celina się odnajdzie, zaraz każę jej przyjść do ciebie.

Patrzę na ogromny brzuch, wymiona, które teraz są już moje. Są krowie. Czyje są? Czyje? W panice dotykam cycków, ciepłej krowiej skóry. Gdzie jest moja skóra? Chyba nigdy nie była taka gorąca. Jej zapach przyprawia mnie o mdłości. Pocieram sierść dłonią, kawałek po kawałku, ale nic nie czuję. Dlaczego nie piecze? Powinno piec. Przez lustrzane odbicie patrzymy sobie w oczy. Uciekam wzrokiem. Wracam. Uciekam i znowu wracam. Krowa stoi i patrzy. Boję się jej strachem. Mam wrażenie, że jej oczy się zapadają, że ona zapada się pod ziemię. Widzę ciągnące ją w pole biesy, z osmalonymi kopytami i niezwykłym chichotem. Próbuje mnie polizać, ale gwałtownie odskakuję. Szarpnąłem łańcuch. Krowa posłusznie podążyła za mną. Na skraju łąki wbiłem drewniany kołek w ziemię i uwiązałem łańcuch, bo nie jestem w stanie iść dalej. Usiadłem. Krowa zaczęła skubać trawę, mielić mordą. I nic się nie dzieje, siedzę sobie. Pojawił się Szczepan, usiadł obok mnie. Nic nie mówimy, lepiej chyba milczeć albo grać w kamień, łańcuchem się pobawić, na krowę spoglądać, muczeć. Nie wydaje się, byśmy marnowali czas. Ucz się, bo będziesz pasał krowy. A co jest złego w pasaniu krów? Nas nic to nie kosztuje. Patrzymy na krowę, jak skubie trawę, łeb nisko przy ziemi, łańcuch wyznacza pastwisko, krąg, poza który jałówka nie śmie się wychylić, a gdy zabraknie pożywienia, przebijemy kołek kilka metrów dalej, w bujność traw. Nudzi się nam tak patrzeć przed siebie. Krowa żre i wydala, kręci ogonem. Szczepan mówi, że może byśmy tak konia zwalili, na wyścigi, kto szybciej się spuści, wytryśnie. Co tak bezczynnie siedzieć i patrzeć, to już lepiej w ruch się wprawić, wyobrażać sobie coś przyjemnego, na przykład Celinę. Onanizując się, zawładniemy stojącą opodal wierzbą, łąkę posiądziemy, całą przyrodę, w której czujemy się niepotrzebni. Zamknąłem oczy, sięgnąłem do rozporka i wziąłem członek w dłoń. Kiedy zrobił się twardy, zacząłem z bydlęcą obojętnością poruszać napletkiem wte i wewte. Prędzej i prędzej, od czasu do czasu spoglądając na Szczepana, nieobecnego zupełnie. Jego ręka opadła na trawę, wycieńczona pracą. Po chwili znów wziął penisa w dłoń. Na wyścigi, kto pierwszy dojdzie, kto się spełni. Jeszcze i jeszcze, podciągnąłem koszulę, by jej nie poplamić. Już, już. Zerwałem liść chwastu i wytarłem spermę. Szczepan ciągle jeszcze się masturbuje, lecz po chwili widzę krzywą balistyczną jego nasienia. To już koniec. Kto wygrał? Ja! Ale nie wiem, czy to dobrze. Nie wiadomo, jak by to było z dziewczyną. Jedna chce dłużej, druga krócej. Ciekaw jestem, jak lubi Celina. Może kiedyś uda się tego dowiedzieć.

Na prawej dłoni czuję jeszcze ciepłą białą maź, wszystko, co mnie otacza, ma ten kolor. Przede mną ciągną się kresy pól, łany, lasy, zagajniki, zarośla. A tam nimfy, anioły, satyry, rusałki sobie siedzą. Coś w trawie piszczy. Na chwilę jeszcze przymknąłem powieki. Nadszedł czas powrotu, należy zagnać jałówkę do obory. Krowa nadęta, muczy, bo chce już wracać, zawłaszczywszy sobie kawał łąki. Mówię do Szczepana, żeby wziął łańcuch i poholował bydlę. Zapadamy się po łydki w trawie, która się ostała. Jutro zawładnę pozostałą połacią zieleni, uczynię ją swoją własnością. Trawa niesie nas lekko, ulotnie. Ślizgamy się płynnie, podporządkowując się zieleni – tylko na niej można polegać, na niej się oprzeć. Idziemy, pozostając na powierzchni, nie sięgając w głąb. Krowa zerwała się do biegu, spieszno jej do wodopoju. Ślizgamy się za nią, by nie zostawiać za sobą żadnego śladu. Niech świadczą o nas jedynie krowie odchody. Za naszymi plecami zdeptana przez nas trawa natychmiast powraca do poprzedniego kształtu. Wymachujemy leszczynowymi kijkami, bośmy je sobie zerwali w krzakach, przez które należało się przedrzeć. Widać już stodoły Witka, podworzec widać, studnię ocembrowaną. Pani Bronia się nachyla i wiadro ciągnie na łańcuchu, by podać spragnionemu zwierzęciu. Dla nas ma metalowe półlitroczki pełne kwaśnego mleka. Gospodarski fartuch zakrywa ją całą. Nie ma więc sposobu, by dostrzec, jak robi rzeczy niemożliwe, ale piękne. I takie, które nikomu nie szkodzą, lecz mogą coś dać.

Czas przestał dla mnie istnieć albo bez przerwy zmienia się, meandruje, zapętla. Bo znowu jestem u pani Broni w mieszkaniu przy kuchennym stole. Ale kiedy pytam o Edka, odpowiada, że już go nie ma w domu, że jak tylko kość udowa mu się zrosła, pojechał do Tarnowa do pracy, wydmuchuje szklanki w hucie szkła. Celinki też nie ma, jest na zajęciach praktyczno-technicznych, powinna niebawem wrócić.

– A co u ciebie, Waldemar? Bo ja wybieram się na dyżur nocny, znowu nieprzespane godziny, płacz noworodków.

Rozglądam się dookoła, czy coś się nie zmieniło poza tym, że Edward ma już zdrową nogę i może hulać po świecie. Widzę w kącie siatkę z jedzeniem, dużo jednorazowych plastikowych torebek, papierosy, paragony, jakiś szklany słoik, kilka butelek po napojach, dużo torebek po herbacie, opakowania po lekach, kulki z folii aluminiowej i ulotki.

– Nie patrz tam, Waldemar, to pozostałości po ojcu Celinki, wypierdoliłam go dzisiaj z domu, stary Gąsior, żadnego pożytku z niego nie było. Przychodził niespodziewanie. Ocierał się o moje policzki. Patrzył tymi swoimi czarnymi oczętami, szeroko się uśmiechał. Nic nie mówił, kładł się do łóżka i leżał. A ja do niego: „Nigdy cię nie chciałam! Nigdy! Jesteś nikim!". Niech chleje wódę z Irotą za stodołami, chuj z nim.

Otarła łzy. Dlaczego w ogóle go przyjęła? Przecież Celiną nie bardzo się interesował, Szekspira nie czytał. Nie potrafił. Zawsze twierdził, że boi się czytać o cierpieniu. Sama Duszewiczowa za wiele przeżyła i nie szukała ludzi, którzy żyją w bólu – jak ona. Jednak tragedia ciągle leży przed nią, rozgrywa się na jej oczach trudna walka, odwieczna bitwa. Odwróciła wzrok. Nie miała siły ciągle patrzeć na moją spokojną twarz, gdy w jej głowie znów szumiało, dźwięczało, krzyczało. „Jesteś nikim!" Mimochodem zerknęła na wilgotną chusteczkę. „Umrzeć – zasnąć – I na tym koniec". Obezwładniająca gonitwa myśli. Ale przecież dyżur, noworodki na oddziale. O tym trzeba myśleć, o Celinie, o Edku. A kiedy Duszewiczowa ochłonęła, postawiła na stole talerz z zupą, mówiąc:

– A co u mamusi słychać, Waldziu?

Dzisiaj, kiedy Duszewiczowa nie żyje, mógłbym powiedzieć, że matka coraz gorzej znosi niewiadomą. Potrafi cieszyć się tylko życiem takim, jakie jest. Nie akceptuje popełnianych przez siebie błędów. Ufa tylko własnemu intelektowi i intuicji. Chce wiedzieć, co czeka ją za rogiem albo raczej w każdym kącie mieszkania. Przechadza się o lasce, jada, pija i drzemie na tyle, iż duch jej staje się coraz spokojniejszy, jaśniejszy i silniejszy, raduje się swoim pomarszczonym ciałem, nie potrzebuje towarzystwa. Wówczas zaś odpowiedziałem:

– Z ojcem się ciągle kłóci, meksyk w domu, bonanza, jak to u nas.

– Oj, pamiętam, gdy twój brat się urodził, Michał przyszedł na porodówkę go zobaczyć, taki szczęśliwy, tylko że nie wolno było wchodzić na oddział, a on nikogo nie chciał słuchać, wyrywny.

– Nigdy nikogo nie słucha, a już szczególnie mamy.

– No właśnie, ktoś po milicję zadzwonił, przyjechał Damian na motorze, tą swoją emzetką, i zaczął twojego ojca uspokajać, a ten jak mu nie walnie w łeb, tak że czapka z orzełkiem poleciała na ziemię, a za takie znieważenie godła do kryminału się szło, no i twój ojciec dostał dwa lata, dopiero po odsiadce zobaczył twojego brata.

– A ja podobno w domu za szafą się urodziłem, matka nie zdążyła na porodówkę…

– Tak, pamiętam, sama cię odbierałam, śniegu na dworze po pas było, chociaż to już wiosna się zaczynała.

– Zamiast zrozumieć, chcemy ukształtować świat wedle tego, co nam się wydaje.

– I co, smakowało?

Pani Bronia rozłożyła przed sobą deskę do prasowania, fartuch pielęgniarski prasować chce, lecz żelazko jeszcze zimne.

– Dzisiaj mam nocny dyżur, na nockę idę, nocki najgorsze, urobiona po łokcie, czuję się zmęczona.

– Dlatego lepiej chodzić po drogach już sprawdzonych. Falujące linie, koła zachodzące na siebie, pulsujące geometryczne układy czy mozaiki. Niezdecydowane języki wciąż ostrzem do wszystkiego. Odłożyłem talerz do miednicy z wodą. Pani Bronia się uśmiechnęła, powoli wzięła rękaw fartucha pielęgniarskiego i rozciągnęła na desce do prasowania. Już w miarę rozgrzanym żelazkiem gładzi pomiętą tkaninę. Z nieopisanym spokojem patrzę na jej mozolną i monotonną pracę. Przyglądam się każdemu ruchowi jej rąk, jej ciała, obserwuję kolejne posunięcia, jej reakcje, gdy dotyka podszewki. Wydaje się, jakby po raz pierwszy w życiu czuła się zupełnie wolna. Bez przeszłości, która ją przytłaczała. Tylko ona – tylko ta, która teraz przede mną stoi przy desce do prasowania. Cała dla siebie. Stos odzieży do prasowania rzucony bezpowrotnie. Czuć zapach pani Broni – intensywnie intrygujący, zaskakujący i niepowtarzalny. Czuć jej wzrok – pełen miłości, troski, uwielbienia. Oto siostra miłosierdzia wezwana do dźwigania krzyża. Z pewnością nie chce go taszczyć. Użyczyła jednak swoich barków, skoro barki innych okazały się za słabe. Była tak blisko, bliżej niż pozostali, bliżej niż jej Gąsior, którego, choć jest mężczyzną, nie wezwano, aby pomagał. Wezwano ją, Bronisławę Duszewicz. Wezwano ją i zmuszono. Jak długo trwa ten przymus? Jak długo ona idzie tak obok, niezadowolona, zaznaczając, że nic ją nie łączy z ciemię-życielami? Tylko Bóg może otrzeć łzy z każdego oblicza, zdjąć jarzmo.

Ile to już lat minęło od tamtych chwil, gdy paśliśmy krowę pani Bronisławy? Dzisiaj podmokłe łąki mi się nie podobają, bo zaraz będę miał mokre buty, a żona ma katar, którego nie jestem w stanie znieść, bo irytuje mnie, jak inni zwyczajnie chorują, podczas gdy ja jestem w agonii cały czas. Na ulicy dobrze się czuję. Można ochłonąć. Wiem, że zachowuję się głupio. Najgłupiej jak można. Od początku do końca. Przecież takie prowokowanie i odstraszanie równocześnie to normalna gra. Każdy to wie. Muszę jednak jak najszybciej znaleźć się na oddziale ginekologiczno-położniczym. Córka niebawem będzie mieć cesarskie cięcie, wody odeszły. Wejść na oddział bez słowa, zagarnąć ramieniem. Nie stracić głowy, nie narobić głupstw, jak kiedyś ojciec, gdy mój brat się urodził. Na tej drabinie i nie tylko… Rowerem będzie najszybciej, tylko ulicą Kolejową w dół, na złamanie karku, sankami też byłoby dobrze, może nawet lepiej, gdyż droga nieodśnieżona, zaspy ogromne, koła grzęzną w śniegu, że trudno się rozpędzić, nabrać słusznej prędkości. A niech tam, samochód z pługiem jedzie, czerwone światełko miga, macham ręką, samochód się zatrzymuje, kierowca otwiera drzwi i zaprasza, lecz próg szoferki jest tak wysoki, iż nie potrafię się na niego wspiąć. Blacha oblodzona, samochód się toczy, trudno go zatrzymać, nic z tego nie będzie, trzeba wrócić do roweru. Dmuchać w dłonie, otrzepywać spodnie. Pomyślałby kto, że w dół ulicy jest trudniej niż w górę. We śnie tylko się wspinam, nigdy nie schodzę, nie zjeżdżam. Wielka szkoda, że nie mam teraz zdolności, możliwości przenoszenia się w czasie i przestrzeni z kosmiczną wręcz prędkością. Bo przecież ostatnio bez większego problemu przenoszę się z czasów pacholęcych do dzisiejszego cesarskiego cięcia córki. Idę, idę, prowadzę rower, gdyż nie da się jechać. Za plecami biel, w której nikt się nie ukryje. Śnieg za krótkim obrusem pokrył dachy. I ta para z ust. Żarzę się jak drucik, samotny, wolframowy. Ta sanna, sanna. Jakbym tonął, coraz wolniej tłoczył oddech. Ponieśli aniołowie na złotych bluszczach. Do Boga jedynego. Wykujcie pomnik, monolit, ustawcie na szczycie wzgórza, by świecił wnukowi przykładem. Na wieki wieków, dzisiaj wnuk mi się urodzi przez cesarskie cięcie. Córka tylko musi wydać zgodę. Po co się tak spieszyć? Nie lepiej to poczekać, podać sterydy, by noworodek był silniejszy, przecież to wcześniak będzie? Niech jeszcze poleży sobie w macicy, gdzie białe płatki ciszy. Jeszcze przyjdzie czas, by pogładzić buźkę nowo narodzonego, być dla niego jak rosa na wiosnę, jak pole żyta w zachodzącym słońcu, jak balsam, jak sieć utkana z cienkich nici światła.

W szpitalu ciepło i czysto. Patrzę na znaki, rozglądam się wokół, widzę, że do sklepu korytarzem prosto i w lewo. Na ladzie sporo kanapek, jakieś wody niegazowane, soki. Mnie tytoniu brakuje, palić mi się chce, zapaliłbym przed pójściem na oddział, gdzie córka leży i gdzie pieczołowicie przygotowują ją do zabiegu, w jasnej sali operacyjnej. O tytoń pytam, taki za trzynaście złotych, niebieski. Ekspedientka patrzy na mnie zdziwiona, podaje mi jakąś maszynkę do mielenia mięsa czy coś w tym stylu, bo korbkę to ma, którą można kręcić. Powtarzam, że potrzebuję tytoniu do skręcania. Teraz przed oczami mam Przygody Lisiczki Chytruski, sprzedawczyni jakaś zagubiona, udaje, że nie rozumie, o co mi chodzi, jak nakręcona to chowa się za ladą, to oddala na zaplecze. Chyba nic nie będzie z zakupów. To już lepiej pójdę na oddział. Schodami na drugie piętro. Na korytarzu siedzi żona. Ucieszyła się na mój widok, bo już przykrzy się jej tak samej siedzieć, samiusieńkiej przebywać. Córka będzie mieć cesarskie cięcie o dwunastej, wszystko już prawie gotowe. Z dyżurki lekarskiej wyszedł Bartkiewicz, ginekolog, poznał mnie, chociaż nie widzieliśmy się z dwadzieścia lat. Ja jego nie poznałem, ale to nic, pytam go o córkę. Na co on, że wszystko przygotowane, dobrze będzie, nie ma na co czekać, wszystkie badania zrobione. Mówię mu, że może by poczekać, sterydy podać, nigdzie się nie spieszy, to nie piekarnia. Na co on, że nie ma co zwlekać, będzie dobrze, wszystko przygotowane, chłopak garnie się do świata, bo Bóg uznał, że świat nie może istnieć bez niego. A gdy wyjęty z brzucha Stasiu znalazł się w inkubatorze, ujrzałem córkę, jak z wielkim wahaniem otwiera oczy, niepewna, co zobaczy, czy w ogóle chce cokolwiek widzieć. Pierwsze promienie jasnego jarzeniowego światła wtargnęły jednak wbrew jej woli pod powieki i nie było odwrotu – chwilowo oślepiona, kiedy oswoiła się z otoczeniem, zauważyła nad sobą nieskończoność. Znieczulenie wolno ustępowało. Uniosła rękę, lecz ta wbrew jej rozkazom opadła bezwładnie. Myślała tylko, by dziecku niczego w życiu nie zabrakło, by pięknie pachniało i miało ładną cerę. Dobrze wie, jak przed kąpielą zmierzyć temperaturę wody łokciem, jak trzymać noworodka, czym posmarować i jak często myć. Bartkiewicz pojawił się jeszcze na moment gotowy do wyjścia po dyżurze i powiedział, że dziecko urodziło się zdrowe i że wszystko będzie dobrze. A mimochodem usłyszałem, że jedna z kobiet, której nazwiska lekarz nie chce wymienić, urodziła dziecko w domu, kłopot w tym, że łożysko nie chciało wyjść. Kobieta zaufała naturze i dopiero na trzeci dzień łożysko odeszło. Matka pomyślała, czy go nie wysuszyć, sproszkować, a później połknąć w formie kapsułki. Mogłaby je zjeść, ale jest weganką. W końcu pogrzebała je podczas pełni obok wejścia do domu, obsypała kwiatami i posadziła drzewko.

Teraz to naprawdę zapaliłbym papierosa, ale skąd wziąć tytoń? Korytarz opustoszał, słychać krzyk maleństw, położna ciągnie wózek z lekarstwami, uśmiecha się do mnie, chce coś powiedzieć, więc mówi, że wszystko będzie dobrze, chłopak sobie poradzi, walczy, matka ma pokarm, to będzie go odpowiednio karmić, tutaj jest wszystko: setki opakowań leków i urządzeń do pielęgnacji chorych dzieci, nawet takie drogie jak skaner żył, żeby od razu trafić w grubszą żyłkę bez błądzenia igłą po ręku. Dzień mamy dobry, słonko świeci, fajnie jest.

VI

Numer 37:

wujek Mordawski

odszedł w wieku 66 lat

Dni, w których odwiedzałem siostrę mojej matki, zazwyczaj były pochmurne i chłodne, niekiedy nawet sypał śnieg i wiatr wciąż poruszał gałęziami. „Przed nocą łzy się poleją" – mawiała babcia, gdyśmy za bardzo dokazywali. Gołąbki ciotki Anieli zawsze mi smakowały, dlatego zła pogoda nigdy nie zniechęcała mnie do odwiedzin. Z wujkiem chętnie dokazywałem. Lubił mnie, zawsze poważnie traktował moją infantylność. Umiał mącić, mieszać w kotle, zmieniać wcielenia i knuć w każdym miejscu. Był milicjantem, z nosem w cudzych sprawach, z bokserską klipą i uśmiechem króla Dunkana. Gdy ich odwiedzałem, traktowali mnie jak członka rodziny, czasami w ogóle nie zwracano na mnie uwagi, mogłem robić, co mi się żywnie podobało. Brać udział w akcji lub obserwować. Wujek ciągle popijał coś z piersiówki, wyciągał ją zza pazuchy, by po kilku łykach z powrotem ją tam chować. Kiedy on tak siedział i popijał, ciotka w kuchni szykowała gołąbki, czuć było w całym domu gotowaną kapustę, smażone mięso, cebulę. Kuzynka Agatka i kuzyn

Jacek odrabiali lekcje w swoich pokojach. Cisza u nich jak makiem zasiał. Wujek pilnował, by nie opuszczali miejsc, dopóki nie skończą zadania domowego. Mnie sadowił przy stole, przy którym rozpostarty na krześle kreślił opowieści o swych heroicznych wyczynach podczas milicyjnych interwencji.

Ostatnio udało się wujkowi zarekwirować kilka kilogramów mięsa podczas akcji, stąd te gołąbki, które tutaj zaraz na stół przyfruną. Wujek jest wszechmocny, ma dużo do powiedzenia. W domu wszystkiego dogląda i trzyma wszystkich krótko. Właśnie pojawił się kuzyn, by o coś zapytać, ale nie zdążył, gdyż wujek gwałtownie wysunął pasek ze spodni i zapytał Marka, ile mu jeszcze zostało razów na goły tyłek od ostatniej kary.

– Tato, coś ty, wszystko już ostatnio wypłaciłeś.

Kuzyn na mnie nawet nie spojrzał i uciekł do kuchni.

– I widzisz – wujek sobie łyknął – jak się boi bicia…

– To może pójdę i pomogę Agatce w odrabianiu lekcji?

– Siedź, da sobie radę, sprytna jest… Po mnie ma smykałkę do nauki…

– Ja to chciałbym mieć możliwość zatrzymania się w dowolnym miejscu: być raz na preriach Australii, na piaskach Sahary, na ulicach Paryża, na Korsyce za czasów Napoleona.

– Na razie to napij się ze mną, masz, łyknij sobie…

– Nie za młody jestem, żeby pić?

– Ja byłem jeszcze młodszy, jak zacząłem… Jakie to ma znaczenie… Jak się ma mocną głowę… Tentego…

– A jak ciotka zobaczy, to poskarży mamie.

– Nic się nie bój, idź, sprawdź, co ona tam w tej kuchni tak długo robi... Wszystko powinno być już dawno gotowe... Co ona sobie myśli?... Ja jej pokażę... Tentego... Popielniczkę trzeba opróżnić... Pety się już nie mieszczą... Mały Kaziu powinien już być... Nie mam z kim się napić...

Żeby dostać się do kuchni, należy przejść przez długi korytarz. Kuchnia oddalona jest od salonu o nieznaczne przestygnięcie herbaty. Poczułem pod stopami chłód, zimno mi się zrobiło, ceramiczna posadzka uwiera. Idę jak po rozżarzonych węgielkach. Wszędzie porozrzucane parasole, dużo porozkładanych parasoli, ociekających wodą. Skąd w korytarzu aż tyle parasoli? Plączę się w nich, gubię i odnajduję. Ale najważniejsze to nie dać tego po sobie poznać. Pośród parasoli, jak samotna wyspa, tkwię boso na środku korytarza. Mógłbym uklęknąć jak rycerz, pochylić głowę i czekać na cios. Ale nie, ładnie poskładałem parasole, ułożyłem w kącie i wszedłem do kuchni, gdzie ciotka Aniela przy garnczkach stoi i pilnuje, żeby się coś nie przypaliło, żeby smaczne było, odpowiednio posolone i popieprzone. Ciotka zamamrotała coś pod nosem i odwróciła się tyłem do ognia. Oddycha miarowo, można pomyśleć, że jest naprawdę odważna. Niewiele jest takich kobiet, które nie boją się własnych mężów, siedzących i czekających na posiłek o oznaczonej godzinie. Ciepło ognia, para spod pokrywki daje jej złudne poczucie bezpieczeństwa.

– Muszę biegać na każde zawołanie, nosić mu kawę, do łóżka chce mnie wtedy, gdy ja nie chcę. I chce raz to, a raz znowu co innego... a co tam u mamy?

– Wszystko dobrze, kazała cię pozdrowić, może odwiedzi cię z ojcem w niedzielę.

– Chcesz herbaty?... przedwczoraj kazał mi wypić duszkiem całą półlitrówkę wódki, porzygałam się, do dzisiaj czuję ból w głowie, ledwie stoję na nogach, wywraca mnie.

Ciotka stoi z rękami na biodrach, oparta plecami o stół, jakby szukała stosownego pretekstu, usprawiedliwienia przed samą sobą, żeby móc uniknąć najgorszego.

– Przecież on jest milicjantem, powinien chronić mnie przed złem, a on co?... nie jest zdolny pojąć zła, to diabeł wcielony. Zaraz tu przyjdzie, zobaczysz, broń mnie przed nim, jesteś już taki duży.

Czyżbym zmężniał między parasolami w korytarzu, niejako urósł? Najwyższy czas uwierzyć, że jej przyspieszony oddech, jej rozedrgane wargi, słowa urywane, śmiech pełen radości, że to wszystko jest szczere, dla mnie, że jestem tutaj dzisiaj, że dzisiaj to przeszłość. Ożywają na jawie wspomnienia. Cały tkwię w przeszłości, bez żadnej obietnicy, bez żadnej nadziei. Czynić źle lub na złość, nie słuchać ani nie być grzecznym. Wszystko we mnie jest bezsensowne, bezbarwne, bezkolorowe, bezkształtne, bezwonne; tak ciche, niemalże niesłyszalne, bezdźwięczne i prymitywne, awangardowe w swojej prostocie. Ale to jeszcze nic, gdyż przyszedł do kuchni wujek: pstry, kolorowy, egzotyczny, wręcz niedotykalny, jedwabny i bez wartości. Nawet się nie odezwał, tylko sięgnął do kredensu z naczyniami i zaczął rozbijać talerze o podłogę. Szklankami rzuca, szuflady wysuwa, rejwach na całego. Ciotka z piskiem w kąt się wcisnęła, ja uskoczyłem w bok – gdybym tego nie zrobił i dalej stał w miejscu, lecąca w moją stronę popielniczka trafiłaby mnie w głowę. Nie mam pojęcia, co się wujkowi stało, trudno powiedzieć, tym bardziej że on szaleje bez słów, nic nie mówi, nie odzywa się. Zachowuje się jak zły człowiek, zabiegany, tandetny, powielony, przesadnie egzaltowany, udający, bezmyślny i oklepany. Boję się, żeby tylko gołąbków nie zrzucił z kuchenki, żeby ciotki nie poparzył i mnie wrzątkiem nie oblał. Lecz nic takiego nie nastąpiło. Kazał nałożyć sobie na talerz kilka gołąbków i polać je sosem, a żądanie to uspokoiło go tak, że mogłem wyjść na ganek i spojrzeć na ogród. Kiedyś, gdy trawa była nieskoszona, wydawało się, że ogród ciągnie się hen, hen. Ale dzisiaj, gdy jej nie ma, widać, że ogród jest niewielki, jakoś tylko tak do niedalekich modrzewi się ciągnie. Tam w dole strumyk pełza skromniutki. Łatwo można przez niego przeskoczyć, by wspiąć się na niewielkie wzniesienie. Boisko do siatkówki przy szkole zajęte, dziewczyny podbijają piłkę. Mogę bez większych przeszkód udawać konika, podskakując do przodu jak źrebak. Niektóre z dziewcząt patrzą na mnie jak na nieznane im zwierzę. Czy moje zachowanie im się podoba? Nie wiem. Agatkę ujrzałem. Kręci się po boisku z koleżanką. Przywołały mnie do siebie i zapraszają do zabawy. Chcą, żebym poszedł z nimi do kotłowni i pokazał penisa, najlepiej żeby był sztywny, stojącego chcą ujrzeć, wówczas one odsłonią przede mną swoje zarośnięte dziurki, tęskniące i ociekające ciepłą wydzieliną pochew. Taka tam zabawa w pokazywanie genitaliów dla urozmaicenia wolnego czasu. Komu chciałoby się odbijać piłkę, skoro są na świecie ciekawsze zabawy. Koleżanka Agatki mówi, żebym przestał już udawać konika, bardziej interesuje ją mój dyszel, jego długość, grubość i sprężystość – może do czegoś się nada, kiedy skończymy sobie nawzajem pokazywać to i owo. Zgodziłem się nawet i ruszyliśmy po dzwonku do kotłowni, jednak woźny nas zatrzymał, by powiedzieć, że wujek czeka na nas przed głównym wejściem. Szuka mojego brata, mój brat się zagubił, trzeba go poszukać, znaleźć jak najszybciej, bo wszyscy się martwią, gdzie jest, co z nim, czy aby nie przepadł na dobre bez śladu. Rozdzieliliśmy się. Dziewczyny wsiadły z wujkiem do milicyjnego gazika, ja pobiegłem do rynku, sądząc, że gdzieś tam, gdzie podcienia domów rozciągają się dookoła, pewnie kuca i płacze, nie mogąc znaleźć drogi powrotnej. Gdy tylko go znajdę, powiem mu, że w domu mam dla niego niespodziankę – drewnianego konika, zaprzęgniętego do powoziku. Powozik skonstruowany z kawałeczków drewna, konik, gruby i mocny, świętość i talizman.

Im dłużej o tym myślę, tym pewniej się czuję. To sprawa przemyślanych, ostrożnych posunięć, zaplanowanego poszukiwania, ciągłego ruchu. Ale na widok brata zapomniałem o problemach uczuciowych i etycznych. Poczułem jego palce zaciskające się na moim przedramieniu w sposób, w jaki nigdy nie dotykała mnie jego ręka. Czarne oczy, dwie sadzawki, przestały łzawić. Przypomina marynarza floty handlowej oglądającego po raz pierwszy któryś ze statków. Mówię do niego, żeby poszedł ze mną, że wszyscy go szukają, martwią się. Mówię, że pokażę mu drogi sklep z zabawkami, a w nim małe, jaskrawo pomalowane przedmioty i wiaderka w kwiatki, a wszystko ozdobione wstążeczkami.

Próba ogniowa już za nami. Dlaczego brat wciąż tak napięty? Dlaczego się nie odpręża, jak wtedy gdy matka wzięła go za rękę i poprowadziła po raz pierwszy na lody. W końcu posłuchał lekkiego ruchu mojej dłoni bez żadnych zastrzeżeń i z ufnością. Podążył za mną spokojnie i posłusznie.

Dom zamknięty na cztery spusty, ale my mamy swoje sposoby, by się do niego dostać. Brat umie wspiąć się na parapet okna i uchylić małe okienko, które z drugiej strony nie jest zamknięte. Potrafi wcisnąć się w kwaterę i otworzyć okno, przez które ja już bez większego wysiłku mogę prześlizgnąć się do środka. Najważniejsze to zaspokoić pierwszy głód, bo jak się już jest w domu, to prosto do kuchni, do garnków pozaglądać, co pod pokrywkami. Dzisiaj nie ma nic dobrego, więc najlepsze skórki pomarańczy zasypane cukrem w słoiku, kromki chleba polane herbatą i pocukrowane, albo ze śmietaną na wierzchu i cukrem. Podałem bratu piętkę, bo lubi, sam dzióbnąłem ośródkę i zebrałem się do wyjścia, tłumacząc bratu, że parasola zapomniałem wziąć od Mordawskich, więc muszę po niego wrócić. Rozdarł się, rozpłakał, ale dał się przekonać, że najlepiej będzie, jak na mnie poczeka, może nawet mama wcześniej wróci, to się nim zajmie, odrobi z nim lekcje, pobawi się i co tam jeszcze. Trzymaj się, bracie, nie daj się nikomu, nikomu nie otwieraj, nie wpuszczaj przez okno, chociażby nie wiem kto błagał cię na kolanach.

Drzwi od środka można było śmiało otworzyć, więc gdy się znalazłem przed domem, zatańczyłem w miejscu. Wskoczyłem na konia i jazda przed siebie. Koń przeszedł w powolny galop. Gęsta murawa ucieka spod kopyt. Wszystko jedno, wszystko jedno. Jestem poza masowym przekazem wartości – mam szansę na odtworzenie własnych obrzędów duchowych, na odzyskanie ostrości widzenia, na dotarcie do prawdy. Wspięliśmy się na szczyt płaskowyżu, przed nami ciągnie się podwójny rząd krzaków. Czuję się, jakby niósł mnie koń zawieszony na karuzeli. Kto by się przejmował, kto, kto, kto! Kiedy dotarliśmy do końca łąki, koń zaczął zwalniać, kazałem mu więc galopować dalej w obliczu zmian, które umożliwiają dalsze udoskonalenie skrajnego zła. Jak tylko pomyślałem o złu, myśl moja powędrowała do drogi w dolinie. Przypomniawszy sobie, gdzie zostawiłem parasol, ruszyłem galopem z powrotem górnym skrajem łąki. Pod kopytami już dukt, ulica osłonięta od wiatrów.

Zacząłem hamować konia, który przeszedł w stępa. Poprawiłem się w siodle, ściągnąłem wodze i się zatrzymaliśmy. Drzwi do domu Mordawskich są szeroko otwarte. Teraz nie wiem, co zrobić z koniem, gdzie go schować, żeby nikt nie zobaczył, nikt nie musi widzieć, jak się tutaj dostałem. Wierzchowiec zaczął mi wadzić, przeszkadzać, to nie zabawka, którą można schować do kieszeni. Jego grzbiet jest okropnie szeroki, wielka bezkształtna góra tak wysoko od ziemi. Najlepiej, żeby posłusznie ruszył z powrotem własnymi śladami.

Zrobiło się ciemno, mrok zapadł, zwierzę przestało być widoczne, było słychać tylko parskanie, co już tak bardzo mi nie przeszkadzało, tym bardziej że wszystko rozgrywa się w wyobraźni i we wspomnieniu. W kuchni nikogo nie ma, można swobodnie wędrować po rozlicznych strefach uczuć i pamięci. Niewiele się zmieniło od czasu, gdy byłem tu ostatni raz. Niepokoją tylko brudna posadzka, stos nieumytych naczyń w zlewie. Suche kromki chleba na stole, niewyrzucone ziemniaczane obierki, mąka rozsypana na stolnicy, kawałki śmierdzącego mięsa. Jak tu ruszyć nogą i przejść do pokoju? Przecież gdzieś tam wszyscy muszą być. Chcę porozmawiać z ciotką, wujkiem – tutaj ich nie ma. Jest wyłącznie bałagan. Słychać głos Agatki, chociaż wydaje się, że nie zwraca się do mnie. Późno się zrobiło, pewnie trzeba będzie tutaj przenocować. Najlepiej w dużym pokoju, z Agatką, jak już nieraz, gdy zostawałem na noc, gdyż nie chciało mi się wracać do domu. Te noce z Agatką, to polegiwanie w pościeli z kuzynką, zabawa pod kołdrą, sięganie do niektórych – wrażliwych na dotyk palców – części ciała; to wszystko na sztywnym, wykrochmalonym prześcieradle, pod wyprasowaną pościelą jest jak unoszenie się nad kulą ziemską. Stanąłem w przedpokoju i widzę Agatkę, jak z Jackiem siedzą i oglądają angielską komedię. Są tutaj. Śmiech. Śmiech. Oni tu są, są i śmieją się, śmieją się razem! Cisza. Wejść do środka, pokazać się, przywitać, zrobić krok. Wszystko zaczyna się i kończy wśród tych samych ścian. Położyć się spać. Z Agatką, jak zawsze gdy zostaję na noc, gdy nie chce mi się wracać po nocy do domu. Ucieszyła się na mój widok i natychmiast wzięła się do ścielenia łóżka. Wujek z ciotką poszli do sąsiadki na imieniny, pewnie późno wrócą, ale nie będą chcieli nas budzić. Kto to wie? Do tego czasu zdążymy się pod kołdrą pobawić. Agatka na swój sposób nieroztropna. Nie jest wprawdzie pewna siebie, ale taka spłoniona, mięciutka, puszysta. Podczas zabawy stara się być gibka. Głaska dłońmi moje policzki. Ja pieszczę jej brzuch. Takie to wszystko świeże, młode, wykrochmalone. Wydaje się, że nikt nas nie widzi, nikt nie wie, co my tam pod tą kołdrą wyprawiamy. Niewinna zabawa, dotykanie się i drażnienie nawzajem, okopywanie we własnych okopach, żeby miło było, żeby sen nadszedł, żeby zyskać niemal nieograniczoną boską moc tworzenia, a także – nieśmiertelność.

Gdy trzasnęły drzwi, przebudziłem się. Środek nocy zapewne, nic nie widać, ciemność. Rozpoznałem głos wujka, zapełnia ciszę słowami, słyszę, jak mówi, że chciałby ich nacinać po kawałeczku, obsypywać solą, nacierać rany cytryną, chciałby uciąć im jaja i wsadzić im je do gardła, żeby się kurwy udusiły, żeby bardzo cierpiały te ścierwa.

– Z całego serca im tego życzę…

Wujek chyba pijany, bo ciotka mówi mu, żeby już przestał gadać i położył się spać, ona zaraz do niego przyjdzie, tylko natrze ciało olejkiem przeciwwirusowym i przeciwbakteryjnym, a przy okazji je nawilży. Po chwili ciotka leży obok mnie, pewnie nie chce się jej z wujkiem, woli się położyć obok córki, nie zdaje sobie sprawy, kogo jeszcze może zastać w łóżku. Chyba nie bardzo ją interesuje, kto, gdzie i z kim, gdyż o nic nie pyta, stara się nikogo nie zbudzić. Skończyła się zabawa. Najlepiej udawać, że nic się nie dzieje, i nie rozpychać się pod kołdrą, tylko przytulać się, ścieśniać. Miękkość jej włosów, ciepło ciała, to wilgotne pęknięcie między udami są mi dane za jednym zamachem. Łatwo to wszystko obejmować, pasuje do dłoni. Ciotka udaje, że nie wie, co się wyrabia, swą obojętnością prowokuje mnie do aktu, bo przecież nie jestem w stanie opanować się, gdy tak bezwolnie wystawia się na strzał. Jeszcze trochę. Jeszcze trochę. Aż się stanie. Na pewno uda mi się wypełnić środek. Agatka śpi jak zabita, można by jej głowę urwać i nic by nie poczuła. Nie wiem, co ciotka odczuwa, nie słyszę jej wcale, jakby przestała oddychać, a co dopiero mówić o pojękiwaniu, posapywaniu, wszystko dzieje się w jakiejś niemożliwej ciszy, ciemności zupełnej. Błąkam się w jej pochwie bez celu – trudno się w niej odnaleźć. Jestem tam, jakkolwiek chcę już uciec i zniknąć, zapaść się w siebie i nie być w ogóle. Teraz jest to możliwe, nastąpiło spełnienie, głęboki oddech, przytulenie. Ciotka udaje, że śpi, więc przewróciłem się na drugi bok. Niech mokrość jak najkrócej pozostanie między nami. Wycieram prześcieradłem resztkę spermy wypływającą z penisa.

A kiedy ostatnio znalazłem się u ciotki w mieszkaniu, odwiedzając ją z jakiejś błahej przyczyny, od razu zauważyłem, że czeka na tę chwilę; czeka na chwilę, w której udowodnię, że znam ten dom, podczas gdy czas ponownie staje się snem, oddziela mnie od tego, co chcę zrobić. Zdejmuję więc szybko płaszcz i nie chcąc innego zła, odwracam się na pięcie. Schodzę na parter, a stamtąd wąskim korytarzem do pomieszczenia, które ciotka specjalnie urządziła dla chorego wujka, bo on już od paru lat nie wstaje z łóżka. Umiera na oczach innych, umiera tak, jak mu grają. Umiera pod dyktando śmierci. Usiadłem na stołeczku i spoglądam na wujka. On mnie nie widzi, łączy się ze swoją przeszłością, bez reszty pochłonięty cierpieniem. Całe życie miał diabła za skórą, umiał znaczyć swoje miejsce w hierarchii, z obrzydzeniem wyrażać się o znajomych. Do bójek skory, pijący wódkę nieustannie. Miał twarde i niezamożne życie, wąskie spektrum spraw, które go interesowały. Rozmowa z nim była trudna, ale jak już udało się z nim porozumieć, robiło się ciekawie. O zamachu na Kennedy'ego mógł opowiadać i opowiadać, o walkach bokserskich Cassiusa Claya także, o Unii Tarnów i grze w karty. A gdy pojawiał się mój ojciec z akordeonem, to razem śpiewali: „Niech żyje wolność, wolność i swoboda, niech żyje zabawa i dziewczyna młoda". Ciotka z matką zwijały dywan w rulon i zaczynały się tańce, balowanie do rana, sąsiedzi się schodzili i przyłączali do zabawy. Wujek zawsze był w centrum uwagi, kobiety patrzyły na niego z uwagą, mógł nic nie mówić, cały wieczór się nie odzywać, a i tak tworzyły się wokół niego darwinowskie bystrzyny i wiry.

Leży teraz chudzina na łóżku bez ruchu, dogorywa. Na nic się zdają ssak do flegmy, pulsometr, odkaszlacz, agregat prądotwórczy, materac przeciw odleżynom, koncentrat tlenu, inhalator. Najodpowiedniejsza w tej chwili byłaby ciotka. Serce zapewne kazałoby jej otrzeć twarz wujka płótnem, na którym odbiłoby się jego oblicze. Muszę ją niezwłocznie tutaj poprosić. Żeby nie umknął jej najważniejszy moment w życiu jej męża. Może zdąży go zapytać: „Mężu, kiedy ci to uczyniłam?". A on zdąży odpowiedzieć: „Kurwa, Bóg jest tak bardzo wszędzie, że Go nigdzie nie ma". Monotonia wyobraźni została zerwana. Muszę zejść z tej drogi, zmienić krok, rytm. Nie ma nic poza pamięcią. Dosyć przywoływania przeszłości, spuszczania jej z uwięzi. Najwyższy czas otworzyć paczkę papierosów, jakież to prezenty zostały złożone w stos? Sitko do cukru od Agatki, srebrna kieszonkowa flaszka od Jacka, szpicruta od brata, notes od kuzyna. Tylko Eulalia przysłała oddzielny prezent. To pozytywka. Małe drewniane pudełeczko. Kiedy podniosłem wieko, rozległa się melodyjka, brzmiała jak drapanie widelcem po klatce kanarka. Ciotka obserwuje mnie z drugiego końca stołu, zupełnie beznamiętnie. Widać, że dzisiaj gardzi roztkliwianiem się nad sobą, nie jest też skora do litowania się nad innymi. Siedzi beztroska i czarująca, a zgromadzeni wokół w milczeniu podziwiają jej szlachetność. Nagle zwróciła się do mnie, że to już koniec dobrego, żebym zabrał prezenty i wrócił do domu, gdyż tutaj już nikt nie będzie więcej koło mnie chodził, wujek umarł i czas zabawy się skończył, należy zająć się pogrzebem.

Pamiętam jeszcze, że przyszły tam ze swoimi śpiewami jakieś kobiety, których wujek naprawdę nigdy nic nie obchodził. I zaręczam, że te zaśpiewy nie były ani harmonijne, ani do słuchania. Zgrzytało mi to w uszach. Ten czas miał być dla rodziny, a tu się zebrały wiejskie baby i odśpiewują swoje. Ktoś umarł, trzeba odbębnić, choćby byle jak. Bardzo to było dla mnie przykre.

VII

Numer 128:

Bogusława Burnus

odeszła w wieku 74 lat

I jak tu nie rozpocząć dnia od onanizmu, gdy na wizji trwa mecz tenisa ziemnego w dalekim Katarze. Każda z zawodniczek stara się narzucić swój styl gry. Ciepło mi pod kołdrą, na dworze coraz wcześniej robi się widno. Jeśli przez chwilę zapomnieć o piłeczce, to widzę dziewczyny zmuszające się nawzajem do podskoków, do biegania, do pląsów. Kto im wymyśla te stroje, kto dba o seksapil, komu zależy, by te dziewczyny mnie podniecały? Odpowiednia pozycja, cofnięte biodra. Wyobrażam sobie stosowną głębokość pochwy jednej z zawodniczek. Ona jest już moja. Trzymam w dłoni członek w całej jego okazałości, by wycisnąć z niego jak najwięcej. Jej wycieczka do siatki krzesze ze mnie coraz większą energię. Bardzo dobre, kąśliwe, precyzyjne podanie piłki; wybrała narożnik, przez środkową część kortu. A ja z jeszcze większą swobodą pocieram żołądź, trzepię skórkę, walę konia na swoich warunkach. Na korcie zaś mnóstwo biegania, taka gorąca krew. Angelika przyjęła niską pozycję ciała – szarpnięte, zerwane cugle. Trochę te punkty bolą, są takie nieprzyjemne. Karolina stara się zakończyć akcję po swojej myśli i podbiega do siatki. Ja przeniosłem cały ciężar ciała na lewy bok, by w odpowiednim momencie wygodnie wytrysnąć. Odbicie piłki w otwartej pozycji, szansa na przełamanie. Jednakże Angelika pokazała bodaj, jakie zagranie mogłaby wykonać. Komentator mówi, że to kolejny prezent na najwyższym poziomie. Ja w końcu się spełniłem, a dziewczyny przy każdym uderzeniu rakietą w piłkę jeszcze ciągle jęczą, jakby wciąż doznawały skurczów ciepłych rozchylonych warg, zdaje się, że w głębi przeżywają wiekuisty orgazm.

Teraz mogę się umyć i poszukać ubrania. Woda zimna, lodowata, mydło szare, niepieniące się, w lustrze twarz. Upewniam się, czy na ciele nie mam plam, łoju, czy za paznokciami nie zalega brud, sprawdzam, czy skóra na stopach nie jest zrogowaciała. Oglądając w lustrze wszelkie zmarszczki, biorę do ręki koszulę. Twarz wydaje się bez wyrazu, jakbym myślał nie wiadomo o czym, jakbym coś sobie obliczał. Gdy wszedłem do dawnej dziecinnej sypialni, staje się jasne, że urodziłem się w kraju, którego nie znam, wśród ludzi, których nie rozumiem. Wychowywano mnie, owszem, w poczuciu patriotyzmu, owszem, przyznaję: na Sienkiewiczu i Kmicicach. Bogoojczyźnianie. Miało się poczucie przyzwoitości, dumy z kraju, podniesioną głowę. Od jakiegoś czasu głowę schylam coraz niżej. Wszystko jest niszczone, tłumy popleczników gotowych do każdego haniebnego czynu, za posadę, za sławę. Kim właściwie jesteśmy, kim się staliśmy, Polacy?! A co to znaczy? Może to znaczyć tylko jedno. To znaczy, że przestaję być sobą.

Zamknąłem za sobą drzwi pokoju. Ręce mi opadły, ubranie zsunęło się na podłogę. Czy to… czy to jakaś pułapka? Nic nie skłoni mnie do tego, żeby w to uwierzyć. Schyliłem się, żeby podnieść rzeczy z podłogi. Ubierając się, przypomniałem sobie swój wyraz twarzy odbity w lustrze, z którego wypełzali wszelkiej maści nacjonaliści, wielbiciele Hitlera. Zszedłem na dół, ożywiony nowym oczekiwaniem. Nie będę musiał już stawać do nikogo plecami. Pionki zostały ustawione na szachownicy. Przez szeroko otwarte drzwi w sieni widać stojące w słońcu drzewo. Podszedłem do niego. Pani Sporzychowa, stale błądząca wzrokiem dookoła, dojrzała mnie pierwsza.

– Och, jak pan, panie Waldku, ładnie wygląda! – zawołała, wciąż zabiegając o moją przychylność.

Zdaję sobie sprawę, że nie wyglądam ładnie, i wolałbym, żeby pani Sporzychowa nie zwracała uwagi na mój strój.

– Tych spodni nie szył byle kto!

– Pewnie Tekla, ale coś innego jest ważne. Wie pan, panie Waldku, że Burnuskę wzięli do szpitala? Jej synowa zadzwoniła po pogotowie i ją zabrali.

Można było się tego spodziewać, pamiętam, gdy ostatnio szedłem z Burnuską do miasta. Wiatr wiał, szarpał, popychał. Pytam ją, gdzie ma szalik, gdzie czapkę, a dlaczego parasolki nie wzięła, przecież w każdej chwili może się rozpadać. A gadaj, człowieku, do niej i nic. Nic do niej nie docierało. Ciągle tylko powtarzała, że jej nic nie jest. Pani Sporzychowa jakby odgadła, co też sobie przypominam, i zaraz dodała od siebie, że nieraz pytała Burnuski, czy cukier ma w normie, czy mierzyła ciśnienie. A gdzież tam, u niej wszystko w porządku, jej przecież nic nie jest. A teraz w szpitalu wylądowała. Czy słota, czy pogoda lazła do rynku nie wiadomo za czym. A jak nie do rynku, to do sklepu na Równi. „A dokąd to, Burnusiu, się wybrałaś?" – pytam jak zwykle, gdy spotkałem ją kiedyś, jak powłóczyła nogami. Kończyny w kolanach usztywnione, że wyprostować nóg do końca nie da rady, ciągnie jedną nogę za drugą, kuleje, przystaje, rozgląda się, patrzy za siebie. „A ty gdzie się tak spieszysz?" – pyta mnie, do mnie zagaduje, bo niby do kogo. Od dawna już ulica pozostaje pusta, nikt już pieszo nie chodzi do rynku, przeważnie pojazdami się przemieszczają. „Jak ci się chce tak codziennie po kilka razy chodzić do miasta?" – mówię do Burnusi. „A co mam w domu do roboty, niczego dużo nie będę kupowała, codziennie chodzę, to wszystko mam" – powiada i rusza z miejsca, podpierając się laską. „Przecież synowa mogłaby zrobić ci zakupy, syn, nie jesteś sama" – zagaduję i wyprzedzam ją, bo powoli kroczy, a ja o wiele szybciej. Tyle tej rozmowy, bo nie chce mi się o zdrowie pytać. Jak zwykle odpowie, że nic jej nie jest. „Wiatr dzisiaj porywisty" – mówię. „Eee tam, gdzież tam" – powiada. A jak powiedzieć, że ciepło dzisiaj, to usłyszy się w odpowiedzi, że wcale nie. A gdy zapytać, czy jej zimno, bo mróz bierze, to rzeknie, że jej ciepło. I bądź tu mądry, człowieku. Burnusowej wszystko dogadza, wszystko jest dobre, złego słowa nie powie. „A zmierzyłaś sobie dzisiaj ciśnienie?" – pytam, przyglądając się bacznie Burnusowej, jej przenikliwym oczom. „A po co, nic mi nie jest – mówi. – Waldek – dodała, przystając – ja do lekarzy nie chodzę, nie szukam chorób". Chodzi tak, spaceruje, z ludźmi się spotyka, rozmawia, więc sporo wie, co się w okolicy dzieje. O cokolwiek by ją zapytać, to na każde pytanie potrafi odpowiedzieć. „Ależ ta Burnusowa bajczy" – można usłyszeć od ludzi. „Łazi tak, wlecze się, przystaje, z tym zagada, z tamtym, wszystko musi wiedzieć, nic nie może jej umknąć" – da się słyszeć głosy. „W domu powinna siedzieć, kości grzać, zdrowaśki klepać, po co ona tak tam i z powrotem?" – powtarzają znajomi. „Ledwie chodzi babina, coraz gorzej wygląda" – powtarzają inni.

– Gdzie to się pani wybrała?

– A gdzież by? Do rynku idę, w domu mam wszystko, ale przejść się idę, pogadać, może kogoś znajomego spotkam po drodze.

Widzę, że do góry wspina się Strzechwowa, więc mówię Burnusi, żeby na nią poczekała, razem będą mogły iść do miasta powoli. Ja trochę przyspieszę, bo serce przede mną biegnie i nie chce się zatrzymać.

– A przyjdź po południu do ośrodka kultury, przedstawienie dają fajne, można się pośmiać.

Mógłbym odpowiedzieć, że się postaram, lecz serce jest już tak daleko. Należy się pospieszyć. Serce jak na

dłoni, zaraz za nim Eulalia, jest najbliżej, by je pochwy-
cić, przytulić, uspokoić. Za mną Szczepan z kuzynem
Jakubem, też serce mają na uwadze, choć wydaje się, że
raczej wątrobą powinni się zainteresować. Czuję w ko-
ściach starość, schylać się nie mogę, to korzonki czy krzyż,
w kolanach zgrzybiałość, wątłe już barki, odchodząca
młodość. Jak tylko ujrzałem wóz z zaprzężoną doń kla-
czą, wskoczyłem na rozworę i cmoknąłem głośno. Koń
gna przed siebie, że bata nie trzeba. Chomąto wrzyna się
zwierzęciu w szyję, wędzidło rozciąga wargi. Odmotałem
lejce z kłonicy. Mkniemy drogą na przełaj przez bezludny
przestwór, jak za Piasta Kołodzieja, Łokietka, Jagiełły,
Sasa, cara i Franciszka Józefa, za niewolnictwa pańszczyź-
nianego. A może za kolonializmu na Kresach, znaczy na
Ukrainie, Dzikim Wschodzie i Dzikich Polach, oraz re-
gularnej nędzy człowieka? Więc tylko nazad i nazad, żeby
nie godzić się na drogę bez końca, przezwyciężać strach
przed starzeniem się. Nigdy nie chciałem cofać czasu,
żeby przeszłość się wróciła. Ale jak tu się nie cieszyć, gdy
wreszcie mogę z kimś pokopać piłkę, pomiętosić szyszki,
poganiać się dookoła ogniska, widzieć w pąkach drzew
najprawdziwsze czekoladki, jeść te czekoladki i utwier-
dzić się w przekonaniu, że sztuka w ogóle zasadza się
na niezgodzie, na próbach poszukiwania nowego, kwe-
stionowania istniejącego, poszerzania wrażeń, doznań,
myśli, szukania nowych pojęć, znaków, języka. Ważne,
by łączyć elementy znane, ale w nieznany dotąd sposób.
Mimo że oddycham szybciej, nie jestem zdyszany. Wiatr

unosi liście. Lekkim kłusem przecisnąłem się między ludźmi. Minąłem dziewczynę, której ciemne kręcone włosy opadały poniżej ramion. Miała płaszcz z jagnięcej skóry, prawie nowy. Trochę do wewnątrz stawiane stopy tkwiły w drogich i brudnych botkach. Przystanąłem, odwróciłem się. Tym razem nie mogę złapać tchu. Obszedłem kałużę dookoła, trzymając się nieużywanego sznura do bielizny. Zobaczyłem troje dzieci przykuczniętych u wejścia do domu. Jakiś włóczący się pies wyszedł mi naprzeciw, zaraz zawrócił i pobiegł za dom. Zapewne niewielu tutejszych mieszkańców poszło do pracy, pozostali kryją się za zasłonami. Moje doskonałe oko potrafi śledzić wszystko, co się wokół dzieje. Aha, no i są dzieci, chłopcy, w różnym wieku, nogi mają zwinne, ramiona sprężyste. Wróżę im karierę. Pięciu młodzieńców od Sojata, następnych pięciu od Burnusa. Dzieci biegają po trawie i kopią piłkę. Odnajduję się wśród nich, zaraz biorą mnie za swojego i chcą, bym sprawiedliwie im posędziował. Będą walczyć – dwie rodziny przeciwko sobie – stawiając na wiekową tradycję praojców. Ale przecież cofnęliśmy się w czasie, żaden ze mnie sędzia, najwyżej piłkę mogę podawać, gdy ugrzęźnie w krzakach po pożal się Boże niecelnym strzale. Teraz chłopcy katują się słowami wulgarnymi. „Ja pierdolę!" – krzyknąłem. Święci wybaczą im te drobne złośliwości. Podziwiać panią Bogusławę i panią Teklę za tak dobre wychowanie swoich dzieci. Nie jestem w stanie napisać wszystkiego. Po co kogokolwiek demaskować, dzieci przynajmniej w szkole mogą pochwalić się ładnymi piórnikami. Sędzia ze mnie żaden, rówieśnikiem jestem, sąsiadem, powinienem się bawić z chłopcami, ale jakoś nigdy mi to nie wychodziło. Może dzisiaj uda mi się posłać piłkę do siatki, postaram się zbyt często nie wyrzucać jej na aut. Kiwał się też nie będę za dużo, będę podawał celnie, kryl kogo trzeba i nie faulował – oto moje credo. Ileż to się trzeba napocić, żeby dorównać lepszym od siebie chłopcom.

Bramkarz zapalił papierosa i podał obrońcy; ten, wstrzymując oddech, podał sporta dalej. Pomocnicy zaczęli kaszleć i się krztusić. Śmiechu było co niemiara, z byle czego, śmiano się do rozpuku, szczególnie napastnicy, gdy nie mogli trafić piłką do bramki. Też zaciągnąłem się głęboko, czując, jak aromat unosi się w powietrzu i przyjemne ciepło rozchodzi się po całym ciele. Zacząłem rozglądać się po boisku, by odnaleźć piłkę, chociaż nie bardzo wiem, do czego mogłaby mi się przydać. Jeden z Sojatów upadł na murawę, na linii pola karnego wywrócił się najmłodszy Burnus. Przeszukuję trawę milimetr po milimetrze. Jednak nigdzie nie widzę piłki. O, chyba jest pod darnią – nie, to tylko wydmuszka. Padam przed drużyną na kolana, czczę każdego jej zawodnika. Gdy ujrzałem kozłującą piłkę, powlokłem się w jej kierunku. Trwa to bardzo długo, żeby nie powiedzieć – wieczność: jakbym brnął przez jakąś ogromną pustynię. Stanąłem między słupkami bramki i się wysikałem. Pomyślałem, że już czas zakończyć tę nierówną walkę, że raczej nie strzelę dzisiaj żadnego gola, że nie zostanę bohaterem tego spotkania.

Gdy słońce zaczęło dotykać poprzeczki, usiadłem w miejscu, skąd wykonuje się rzut karny. Rodzice Sojatów i Burnusów przybyli popatrzeć, jak ich chłopcy radzą sobie podczas meczu. Zaskoczyli mnie na tyle, że nie zdążyłem uniknąć spalonego. Aby do końca zaistnieć, muszę zniknąć. Potworny ból głowy, ból zdartego naskórka, ból stopy, którą powinienem zabandażować. W razie potrzeby wystarczy zbić szybkę. Wystarczy. Muszka owocowa to nie człowiek. Upojenie podsuwa fantazmatyczne wizje końca świata. Życie ludzkie jak zamek błyskawiczny kurtki puchowej, jak wyciskanie pasty do zębów do samego końca, jak potępienie Fausta. Dosyć tej zabawy, zmagania się z niesforną piłką. Tym bardziej, że pogoda psuje się gwałtownie.

Na usługi wezwane zostały ciemne chmury, błyskawice. Kropelki deszczu rozpryskują się żywo o nagie, spalone słońcem ramiona wiotkich, uciekających w popłochu pod różne dachy i daszki chłopców. Chowanie się w takich miejscach jest zresztą całkowicie uzasadnione; ledwo zdążysz strzepnąć z siebie chłodne kropelki, a już burza ustępuje miejsca słońcu, które w mgnieniu oka wysusza ubranie i włosy. Dalej jest już spokojnie i tylko nieliczne kałuże przypominają o rozegranej niedawno ponad nami walce między siłami burz i słońca, zła i dobra, Sojatami i Burnusami.

Najwyższy czas zabrać dzieci bawiące się w najlepsze w piaskownicy. Choć zbliża się pora obiadu, nikt tego nie robi. Już dawno po meczu. Czas wracać do domu. Mam nadzieję, że sąsiadki kibicujące swym synom nie widziały, jak się wygłupiam, jak palę papierosa. Mogłyby powiedzieć o wszystkim mojej matce i przez dłuższy czas nie miałbym spokojnego życia. Najlepiej w ogóle nie zwracać na siebie zbytniej uwagi przemykających gdzieniegdzie kibiców. Idę żwawym krokiem, unoszę wysoko głowę. Najpierw mijam budynek Surominu, dalej jest zakład energetyczny i mostek na Ostruszance. Wszędzie wokoło liście; można je podziwiać z daleka – w ten sposób wydają się znacznie bardziej niesamowite. Pod stopami czuję przyjemną twardość glinianej drogi, jest tak ciepła, że chciałoby się do niej przytulić. Duszący zapach bzu przywodzi na myśl jakieś inne, zamglone we wspomnieniach lato, czyjeś ramiona, szepty, pocałunki, spokojne, kojące odpływanie w sen. Ale odpycham te myśli. Chcę żyć tu i teraz. Nie żałuję, że tak się stało; nie mogło być inaczej. Prostota wynika z racjonalizmu, niekiedy z pustki. Jak pojąć tę różnicę? Wyobraźmy sobie nóż niemiecki, nie byle jaki, z tradycjami. Stal – wysokowęglowa, hartowana lodem. Rękojeść – ergonomiczna, okładana hebanem. Bierzemy nóż do ręki. Chwytamy rękojeść i co się dzieje? Łatwo ją objąć, kształt pasuje do dłoni. Ręka sama się na niej układa – nawet nie musimy myśleć. Nieskończenie doskonałe narzędzie do krojenia, siekania i szatkowania. Prosty, oszczędny, nie ma w nim nic zbytecznego. I inny nóż. Ostrze – jednostronne, długie i wąskie. Stal – wewnątrz twarda, a na zewnątrz miękka, ręcznie kuta. Rękojeść – prosta i drewniana. Chwyćmy więc za rękojeść. Ileż sposobów! Można złapać bliżej, dalej, mocniej, słabiej, objąć wszystkimi palcami, docisnąć kciukiem. Prostota pozwala chwycić rękojeść w dowolnym miejscu – to właśnie jest pustka. Więc trudno. Znoszę to, choć z trudem wytrzymuję istnienie czegoś idealnego, z czym na domiar złego muszę obcować. Nie mam zamiaru nikogo ugodzić żadnym nożem. Szczególnie w mojej ulicy, gdzie pełno mieszkańców i przyjezdnych, kierowców, pieszych, gejów, rozwodników, młodocianych i podstarzałych, niedojrzałych i przekwitniętych, chorych, lekarzy i pielęgniarek, lokatorów i murarzy, uczniów i nauczycieli, muzyków i głuchych, pisarzy i analfabetów.

Nie wiem, na którym piętrze czasu się znalazłem, gdyż widzę Adama Rutkowskiego. Skąd się tu wziął, ile lat minęło? Uśmiecha się szeroko, tak że widać mu całą górną szczękę sztucznych zębów. Jego dawne zęby dolnej szczęki nakładają się na te nowe, uwalniając ponadczasowe wspomnienia. Adam też gonił po boisku za piłką, też miał ze mną do czynienia, gdy ogrywałem go dowolnie, bo zawsze byłem sprytniejszy. Zaprasza mnie do knajpy, by się napić czegoś mocniejszego i powspominać dawne czasy. Chciałby pociągnąć nasze umysły wstecz. Tylko że ja dopiero co wracam z przeszłości i inne przede mną wydarzenia z pamięcią w tle. Na szczęście pojawił się Szczepan, on zawsze chętny do pogaduszek, jego wszystko ciekawi w nadmiarze.

– Co tam, panowie, nie wiem, czy to się jakoś będzie wiązało, u mnie na ulicy od kilku dni zapanowała moda na ubieranie różnych metalowych słupków, części ogrodzeń w ubranka dziergane na drutach z różnokolorowych włóczek, serio, nie wiem, co o tym myśleć.

Adam na to, że ostatnio w pewnym stopniu wszyscy wariujemy. I dodał, że Franek Zagórski postrzelił się na polowaniu w stopę, dwa palce mu amputowali, jeden myśliwy z Jastrzębi mu powiedział.

– Chcecie stać tak na skrzyżowaniu z dala od świata? Chodźmy się czegoś napić, coś zjeść, posłuchać, co ludzie mają do powiedzenia – zaprasza Szczepan.

Przypomniałem sobie o przedstawieniu teatralnym, o którym wspomniała Burnusowa.

– Jak chcecie, to proszę za mną, gęsiego – mówię na odpierdol.

– Daj spokój, Waldek, dosyć tych jasełek.

I poszli sobie.

Przeszedłem przez rynek raz-dwa. Sala widowiskowa w ratuszu wypełniona krzesłami. Na widowni są prawie wszyscy. Ksiądz proboszcz także. Pyta tylko, czy nie będzie niemoralnych scen. Ktoś mu wyjaśnił, że nikt tutaj związków tej samej płci nie będzie przedstawiał.

– Nie chcemy nikogo szokować. Chcemy tylko, żeby ludzie się śmiali, żeby każdy chętnie do nas przyszedł – mówi reżyser.

– Nie chcemy nikogo szokować – przytakuje odtwórca głównej roli.

Burnusia z tymi swoimi biodrami ledwie chodzi. I przyszła! Mówi:

– Ja tamtym razem byłam i teraz też dwa razy.

I pyta, kiedy będzie następne. Ludziom się wydaje, że już, i nowa sztuka, powiada reżyser. Wszystko układa się w doskonałą całość i jest na swoim miejscu tak, że bardziej na miejscu być nie może.

Bo tu jest wszystko, co trzeba, aż trudno powiedzieć od siebie coś więcej, co byłoby istotne. Może zbyt wyraźny jest wysiłek interpretacyjny. Nie w sensie techniki, ale w sensie woli bycia oryginalnym, wkładania własnej wizji, chwilami wręcz kombinowania. Do sposobu podawania tekstu też bym się lekko przyczepił, momentami jakby za bardzo chwytano się pojedynczych słów, zamiast mówić tekst jako całość. Nieodwracalnie popadam w izolację, grzęznę we własnym świecie emocji, który przypomina lodowaciejącą pustynię. Skubię pokątnie to i owo w tajemnicy przed samym sobą. Bardzo to roztropne posunięcie – zwykle wpadać w jak najwygodniejsze buty. Pojawia się więcej światła. Oklaski na stojąco.

Na korytarzu, zaraz przy drzwiach prowadzących do wyjścia spotykam Burnusową. Trzyma w ręku zwyczajną siatkę sznurkową na zakupy. Cieszy się, że się przywlokłem na przedstawienie – jej się bardzo podobało. Jeszcze nieraz tu przyjdzie, przecież nie ma nic do roboty, tutaj jest się z kim spotkać, pogadać, po drodze kupi sobie coś fajnego.

Pytam, jak się dzisiaj czuje, na co ona, że jej nic nie jest, nie ma co narzekać, nic ją nie boli, nawet bez laski może chodzić. W takim razie zaproponowałem, żebyśmy przeszli przez salę umeblowaną małymi krzesełkami i stolikami. Sala pomalowana na różowo, wszędzie leżą samochodziki, lalki i misie. Pomiędzy nimi komputery ledwie widoczne gołym okiem, ale zdolne do duplikacji i współdziałania. Z tylnych pokoi dobiega rytmiczny hałas. Dzieci uderzają w garnki i blachy i śpiewają głośno: „Jam jest robak, a nie człowiek, pośmiewisko ludzkie i wzgardzony u ludu". Burnusia mówi, że te salki są dla dzieci za ciasne. Można by powiedzieć, że w tych zatłoczonych pomieszczeniach słowa psalmisty stają się ciałem.

– Ale nie upadniesz mi tu wprzęgnięta w obroty zdarzeń?

– Chodźmy już! Wiele dróg wiedzie do królestwa śmierci.

Sprowadziłem Burnusową po schodach przed ratusz. Tam sporo osób. Pogłaskałem ją po policzku. Szybko zmieszała się ze zgiełkiem rynku.

– To już sama dasz sobie radę?

– A co bym nie dała, przecież nic mi nie jest.

Chcąc wypożyczyć komedię *Pan Jowialski* Fredry, wróciłem do ratusza. Wszedłem do czytelni, a tam za biurkiem siedzi pani kierowniczka i zrazu pyta, po co przyszedłem.

– Poszperać – mówię i zaczynam chodzić między regałami.

Literki na grzbietach książek są tak małe, że nie mogę odczytywać tytułów. Toteż bibliotekarka służy mi pomocą. Nie wiem dlaczego, ale nagle się zdenerwowała i zaproponowała mi maleńki ciężkowicki modlitewnik, wykonany ręcznie, zapisany „żywym" pismem. Kartki posklejane, zdania trudno odczytać, gdyż ktoś zapisał je jak kura pazurem. Czegoś takiego nie mogłem wypożyczyć i opuściłem bibliotekę. Pani kierowniczka wyszła za mną na drogę, by wskazać mi, którędy do najbliższej księgarni.

VIII

Numer 83:

pan Henryk Koryga
odszedł w wieku 87 lat

Córka pochylona nad kołyską. Stasiu uśmiecha się szeroko; główkę obrócił w moją stronę, na dziadka patrzy, spogląda – jak się zdaje – niewidzącym wzrokiem. Ja, dziadek, wyobrażam sobie główkę wnuka w czepeczkach najrozmaitszych, hełmach, furażerkach, beretach. Kocham to niemowlę, ten skarb, maliznę, malizneczkę. Jaki on rozkoszny, gdy tak nóżkami przerabia, jakby rowerkiem jechał przez ciemny las, spiesząc się zaglądać do wiejskich studni. Lecz oczy jego błądzą teraz po suficie, za światłem żyrandola podążają. Stasiu chce coś powiedzieć, szeroko otwiera usta, gaworzy. A cóż on widzi, co słyszy? Mógłby nam powiedzieć, gdyby umiał mówić. Powietrze tylko łapie, piszczy i znowu się uśmiecha. Niewątpliwie wygłosiłby zdanie, że lubi podróże i sporo lata samolotem. Może nawet w tej chwili, gdy tak wymachuje rączkami i próbuje się unieść w kolebce. Wszyscy chcą go nosić na rękach, przytulać i całować – bo Stasiu jest oczkiem w głowie najbliższego kręgu. Nie może być obcy i samotny względem naszego języka. Dlatego mówię do niego bez przerwy: „Stasiu, Stasieńku, co ci jest, no powiedz, spróbuj, co tam widzisz na suficie, jakieś smugi, światełko, Stasiu, słyszysz mnie, popatrz na mnie, spójrz na dziadka, lubisz dziadka, co?… Dziadek jest brzydki, prawda, co?… nie… nie jest brzydki, nie… Stasiu jest ładny, Stasiu jest piękny, co?… Stasiu, co tam widzisz? Powiedz… Jeszcze nie umiesz mówić, ale nauczysz się, wszystko będziesz opowiadał, każdą myśl wysłowisz, zobaczysz, nie denerwuj się, dojrzewanie to samotnienie, nabywanie obcości względem wiary ojców, wobec obyczajowości bliskich, względem języka… osiągnięcie dojrzałości to nieodwracalne opuszczenie prywatnej ojczyzny… ale ty jeszcze jesteś maleńki, nikt ci nie pozwoli zrobić krzywdy, tak bardzo cię wszyscy kochają…".

Córka wzięła Stasia na ręce i stanęła z nim przed lustrem. W odbiciu dwie buźki: matka z synem. Staś podobny do matki, jakby jej z oka wypadł. Co Stasiu widzi w lustrze, kogo widzi? Czy w ogóle kogokolwiek dostrzega po drugiej stronie? To jeszcze dla Stasieńka nie czas na oglądanie spektaklu złudzeń i rytualnych kłamstw, by ujrzeć ludzką śmiertelność i przedrzeć się do niej przez gąszcz słów i masek. Matka widzi Stasia i jego uśmiechniętą twarz. Dostrzega, że dziecko jest głodne. Nie jest to trudne: Stasiowi ślinka cieknie, język wypada z ust. Stasiu ciągle by jadł, bez przerwy jest głodny i wypatruje piersi jak zbawienia. Ależ on jest bezbronny, gdy ssie pokarm, taki do rany przyłóż, jakby od niechcenia oddychał nieskończonością. I cisza zalega aż do ostatniej kropli, a po chwili odzywa się czkawka. Matka wzięła Stasia na ręce, niech się chłopaczynie zdrowo odbije, jak cała przyszłość widziana w lustrze pamięci. Stasiu wykrzywia buźkę, robi różne minki, żeby można było pytać, do kogo jest dziecina podobna. Kogo przypomina? Stasiu oczka ma taty, nosek mamy. Czy aby na pewno? Bo jak dobrze się przypatrzeć, to raczej jakiś taki jest pomieszany, a czoło to całkiem ojcowskie, a policzki matczyne, tylko po kim ma kolor włosów? Chociaż kolor włosów jeszcze nieodgadniony, gdyż meszek ciągle zmienia barwę. A do kogo Stasiu podobny? A kto to wie, przecież on ciągle się zmienia. On ciągle jeszcze będzie się zmieniał. A dołeczek w podbródku to po kim odziedziczył? A czy czasem nie do dziadka podobny? Tylko nie do dziadka.

Biedny Stasiu, gdy stanie się taki, jego los dopełni się według ustalonych scenariuszy. W obawie przed karą będzie uciekał z domu i chował się po ogrodach, dopóki matka z ojcem nie wyjdą z domu, by go szukać. Będzie przynosił z przedszkola zabawki, różnego rodzaju klocki, samochodziki, piłeczki. Z łatwością przywyknie do swoich grzechów. Sam będzie musiał się o wszystko starać: żeby widzieć, słyszeć, wąchać, dotykać, smakować. Nie powinien być podobny do mnie. Powinien być jak ryba, która w wodzie nie utonie, jak ptak, który nie spadnie z nieba, jak złoto, które nie zginie w ogniu, tylko nabierze kolorów.

Jako dziecko często uciekałem z domu. Wystarczyło, że matka z jakiegoś powodu brała do ręki kabel żelazka, ja natychmiast biegłem na pole, by schować się gdzieś za domem. Długo tam pozostawałem, nasłuchując nawoływań matki. Do dzisiaj mam w uszach: „Waldziu, Waldziu, chodź do domu, nic ci nie zrobię, nie będę cię bić, no chodź już, chodź… Jak zaraz nie przyjdziesz, to zobaczysz, nogi ci z tyłka powyrywam, ostatni raz mówię, wracaj szybko do domu, zmarzniesz, bo zimno się robi, wracaj natychmiast!". A gdy jakoś się przełamywałem i wracałem, zaraz nowe pretensje się pojawiały, że cały przemoczony jestem, brudny, umorusany, trzeba by mi zafasować spodnie ze stali. I na nowo trzeba było wiać z domu, bo rózga się pojawiała. I jak było nie dawać nogi przed udręką codziennego odrabiania lekcji. Nieustannie słyszałem od matki: „Marsz do nauki, pokaż, co tam masz zadane, no proszę, jak ty piszesz, co to za literka, do czego to podobne, w kratkach się pisze, równo, a ty co, jak ja cię uczyłam?". I dalej linijką po łapach, aż spuchną. No to co było robić, gdy drzwi otwarte. Szybko się przekonałem, że tylko za drzwiami potrafię myśleć o tym, kim jestem, w co wierzę, czym jest wiara, jaki jest sens ciągu bezużytecznych cyferek i literek, po co to wszystko się robi, jakie uzasadnienie ma spacer po parku, rozpamiętywanie nieba, w jakim sensie to wszystko jest piękne albo nudne; a może piękny jest znak drogowy, a może zieleniejąca trawa na wiosnę. Ale czy ta przeszłość nie jest zbyt jałowa? Czy nie lepiej posiąść to, co wibruje całymi gamami przed moim wzrokiem?

– Jazda, chłopcze, w tamtą stronę, by znowu doznać olśnienia, przeżyć zachwyt, odrodzić się w swym zdumieniu.

Podniosłem głowę. Po drugiej stronie ulicy stoi urocza Syrena, której śpiew mnie tutaj zwabił. Jej zielone oczy patrzą na mnie z takim wyrazem, z jakim harfistka patrzy na swój rozstrojony instrument. Korony akacji uginają się pod ciężarem wiatru. Samotna piłka poturlała się w swoją stronę: jakaś dziewczyna siedząca na parapecie wypuściła ją z rąk. Przez otwarte okno słychać walca Chopina rozbrzmiewającego w radio. Czarny kundel obszczekuje mnie z satysfakcją – mógłbym go pogłaskać, lecz boję się, że mnie ugryzie. Poczułem się jak altowiolista zdegradowany do skrzypka. Tu sobie podsłuchamy jakąś arię, gdzieś tam jakaś sonata poleci, tu jakaś uwertura, tam fragment nieśmiertelnego *Requiem*, tu jakiś wolny kawałek koncertu fortepianowego…

Całe szczęście, że w końcu dostrzegam Jankę, synową Korygi. Spaceruje z wnukiem po ulicy, gdyż nie boi się mądrego kundla, muzyki nie słyszy i mija uroczą Syrenę, nie zauważywszy jej urody. Zaraz też do mnie podchodzi, ciągnąc wnuka za rączkę, by nie zostawał w tyle. Janka opiekuje się nie tylko wnukiem, ale także teściami, szczególnie Heniem, który często wychodzi z domu, gubi się gdzieś po drodze i nie umie trafić z powrotem. Z teściem ciągły kłopot, nikogo już nie rozpoznaje, a usiedzieć w miejscu nie potrafi. Nosi go, rozpiera jakiś nikomu nieznany wigor. Trzeba drzwi na klucz przed nim zamykać,

bo nie wiadomo, kiedy i dokąd się wybierze, a o powrocie
mowy nie ma, trzeba go szukać po świecie, ludzi pytać,
ogłoszenia na słupach wieszać, że Koryga zaginął.

Trotuar, murek z kamieni piaskowych w głębi ulicy.
Podjazd, pełne kosze na śmieci. Widać horyzont, las dotyka
chmur.

WALDEK Ależ te dzieci szybko rosną... Czyj to syn?

JANKA Młodszej córki, wnuk jak się patrzy, cztery latka.

WALDEK Ja też mam wnuka, cztery miesiące ma dopiero, córka
późno wyszła za mąż.

JANKA Nawet się nie obejrzysz, kiedy zacznie chodzić. (*prze-*
jeżdża samochód) Co u mamy?

WALDEK Dzięki, dobrze, noga ją trochę boli, ale chodzi po
domu, nie zapomina się, trochę niedosłyszy.

JANKA U nas coraz gorzej z rodzicami. Wiara i nadzieja są
wspólne. Teściowa już prawie nic na oczy nie widzi, teść
wszystko pozapominał. Trzeba pilnować, a nie upilnujesz,
trzymać pod kluczem też jakoś głupio. Ciągle potykają się
o siebie.

Szymon Madej przechodzi, kłania się, przejeżdża samochód.

WALDEK I co będzie?

JANKA Znałam ludzi, którzy pewnego ranka się po prostu nie
obudzili. Błogosławiona taka śmierć.

WALDEK Przychodzi po długim i spełnionym życiu.

JANKA Jest ulgą dla zmarłego, nie musi się martwić o dalszy
los...

WALDEK ...I dla rodziny, będzie go pamiętała takiego, jaki
był wczoraj. (*Sporzychowa ze Strzechwową idą w dół ulicy,*
rozmawiają) Widziałem wczoraj w oknie twoją teściową,
wypatrywała.

JANKA Nie widzi już jaśminu ani wiśni przed domem.

WALDEK Najtrudniej pogodzić się z tym, że wygrywa nieznane.

JANKA Nie doceniasz siły przyzwyczajenia. Teść ciągle zapada
w drzemkę i tam przebywa, a gdy się ocknie, nieustannie
dokądś się wybiera.

WALDEK Zapewne na tamten świat.

JANKA Chyba na zakupy, ludzie widzą, sklepowe opowiadają...
a przecież ja teściom wszystko do domu przynoszę, niczego
im nie brakuje.

WALDEK To jest rzecz jasna niemiłe, ale lepiej, żeby to się mie-
ściło w głowie. Nie ma co zamykać oczu.

Chłopczyk ciągnie Jankę za rękaw.

Pora się rozstać, bo jak długo można tak stać na bruku
i rozmawiać? Janka skierowała swoje kroki do domu, ale
jak tylko uszła parę metrów, przywołała mnie do siebie,
żaląc się, że wnuczek zgubił zabawkę. Poprosiła mnie,
bym szczególną uwagę zwracał na przejściach dla pieszych, gdyż ktoś może rzucać mi kłody pod nogi, starać
się mnie przewrócić lub chwycić za gardło. Jeśli tylko uda
mi się odnaleźć ukochany przedmiot wnusia, będzie mi
bardzo wdzięczna i postawi coś mocniejszego.

Na ulicy się zaroiło. Od razu pomyślałem, że któraś
z przechodzących osób mogła podeptać zabaweczkę.
Lecz cóż to za rzecz mogła ulec uszkodzeniu? Przecież nie
mam pojęcia o zgubionym przedmiocie. Jak szukać czegoś, nie wiedząc, jak to wygląda? To może być grzechot-
ka, samochodzik na resorach, proca, piłeczka palanto-
wa – nie zdążyłem zapytać Janki. Może coś mimochodem

rzuci mi się w oczy. Zacząłem snuć przypuszczenia, traktować prośbę Janki z niezwykłą powagą. Zamiast zatoczyć łuk i zawrócić ku domowi, pomknąłem dalej do rynku. Wszakże tam wszędzie jest tyle różnych miejsc, w których zguba mogła się zawieruszyć.

Szczęście mi jednak nie dopisało. Mimo usilnych poszukiwań nie znalazłem nigdzie żadnej zabawki i żaden z naszych wszechwiedzących kloszardów nie umiał mi powiedzieć, gdzie najlepiej byłoby szukać. Dopiero między dookolnymi dźwiękami i zapachami przyszło mi na myśl, że należało przede wszystkim zajrzeć do sieci rybackiej, którą rozwinięto tego dnia na środku rynku. Taką siecią można łowić wszelkie zaginione wspomnienia. Wplątujesz się w nią, nie możesz wypłynąć, nie możesz dopłynąć, jesteś zmęczony. Czy przyjdzie ktoś z ostrym nożem, kto rozetnie więzy, czy musisz zrobić to sam, czy znowu musisz zrobić to samemu, wiercąc się, gryząc na ślepo? Zaznaczam, że sprawa jest niezmiernie delikatna i wymaga absolutnej dyskrecji, przecież ostatecznie nie mam pojęcia, jak wygląda poszukiwana przeze mnie zabawka. Przesyt interpretacji, koncepcji na życie, nadprodukcja sensów i znaczeń. Boisz się, że nie ma dobrych odpowiedzi, niektóre rzeczy po prostu się stały. Jest za dużo odpowiedzi, a każda jest dobra, tylko że cudza. Może to był samolocik i chyba musiał odlecieć, gdyż najdokładniejsze poszukiwania nie dają wyniku. Co gorsza, niektórzy, patrząc na moje postępowanie, mogą odnieść wrażenie, że zwariowałem. Zabawka przepadła bez śladu. Nie możesz od tego uciec. Im dłużej o tym myślisz, tym bardziej chcesz być gdzie indziej. Oczy łzawią, ale tym bardziej próbujesz nadążyć za akcją. Przechodzisz obok małych sklepików, przysiadasz się do ludzi, kupujesz piwo w barze.

Wyruszam w dalszą drogę. Jest jeszcze jedno miejsce, o którym na śmierć zapomniałem. To posąg Paderewskiego; pianista odlany z brązu siedzi na ławce, spoglądając od niechcenia na figurkę świętego Floriana i wieżę kościelną. Wokół niego mienią się barwne tatuaże i włosy farbowane na wszystkie kolory tęczy. Nie widzę żadnej grzechotki, z tyłu panoszy się rozległe niebo. Młodzież ma poprzyczepiane do plecaków gumowe fallusy, gdzieniegdzie widać też sztuczne waginy: różnych kształtów, kolorów, rozmiarów. Moje poszukiwania są daremne, trzeba natychmiast ich zaprzestać. Mam przy sobie herbatniki i suszone jabłka. Najlepiej zrobię, jeśli rozdam ciastka przechodniom, poczęstuję ich ćwiartkami owoców – są smaczne. Niech skosztują smakołyków, a co mi tam: proszę brać, częstować się, smakować. Syćcie się wszyscy, co do jednego, niech nikomu nie zabraknie. A jeśli ktoś natknie się na maleńką procę albo bierki, to podobnego rodzaju przedmioty proszę oddać pani Jance Korydze, gdyż mogą one należeć do jej wnuka.

Paderewski jakby się uśmiechnął. Miniaturyzacja oraz nacisk na przenośność i wszechdostępność degradują obraz i dźwięk. Omijamy się, staramy się siebie nie widzieć, wychodzimy wieczorami, nie wrzucamy drobnych do misek żebraków na rogach ulic. Wiele godzin w centrach handlowych, tylko żeby patrzeć na ludzi, gubić niepokój, wyprowadzić swoją chimerę, spróbować coś zmienić, czegoś nie przeoczyć, zamknąć się w sennym wirze. Należy ruszyć się z miejsca, wyciągnąć przed siebie zaciśnięte dłonie.

Przechodząc przez jezdnię, ujrzałem w oddali matkę, zaraz za skrzyżowaniem, na przejściu dla pieszych. Dosyć zmęczona, pochylona, jakby za chwilę miała się wywrócić. Ojciec po drugiej stronie macha do niej ręką, czeka, aż matka znajdzie się przy nim. Powietrzem targnęły przeraźliwe gwizdy. Widzę, jak matka już jest na chodniku i nagle potyka się, upada. Woda się rozpryskuje. Matka upadła w sam środek kałuży. Ojciec doskoczył do niej, położył się obok i przytulił całym ciałem. Głaska ją po włosach, pociesza, całuje. Leżą tak w tej kałuży, jakby byli skazani na życie w niej, jakby nie mieli nikogo na świecie, zagubieni we wspomnieniach. Ojciec zacisnął dłoń na ramieniu matki. Pewnie będzie chciał pomóc jej wstać. Bo jak długo można leżeć w kałuży? Spojrzał jej w oczy, a ona rozpłakała się wobec ogromu przeżyć i ogólnych zagadnień, które ich trawią.

Chcąc udzielić im wsparcia, przedsięwziąwszy wszelkie środki ostrożności, przyspieszyłem kroku. Lecz moje starania na nic się zdały, gdyż zdołałem tylko dotrzeć do kałuży, w której moi rodzice jeszcze chwilę temu leżeli skąpani. W miejscu tym nie było nikogo. Nawet nie wiem, kto gwizdał, kto wzywał pomocy. Labirynt drewnianych podcieni, bram i niewzruszonych drzew. Minąłem jakieś schodki. Przed moimi oczami sprawy codziennego życia schodzą na dalszy plan, są nieważne. Jak to wytłumaczyć? Może własnym wewnętrznym światem? Więc starasz się, jak możesz, żeby odejść od powszedniości, żeby wszystko było wyjątkowe. I ty jesteś wyjątkowy, dla siebie, ale wszystkie inne problemy są błahe, ledwo zasługują na uwagę. Jak to, dlaczego tak się denerwujesz, co właściwie cię trzyma za słowo? Te barany, które Stanuch codziennie przepędza przez rynek? Stado baranów pędzące bezmyślnie przez sam środek miasteczka. Czegoś takiego nie grali jeszcze w żadnym kinie na świecie. Dzwonią dzwoneczki. Zwierzęta beczą. Wysoko załadowane ciągniki przesuwają swoje cienie. Irota i Sojat są pomocni, bo gdy tylko barany znajdą się w zagrodzie, gospodarz postawi wódkę i będzie można pić do woli.

Czuć zapach stada, jego siłę. Nikt nie patrzy w górę, nikt nie ma tyle odwagi ani chęci. Należy iść, wciąż iść przed siebie. Bez pośpiechu przechodzę przez rynek, granitowa kostka ledwie wyłania się spod nierówności; tylko ja pamiętam o niej i o jej dawnej chwale. A może nie tylko ja. Widzę pana Henryka Korygę. Skąd on się tu wziął? Samotny, opuszczony, jak jakaś zjawa. Zupełnie niedzisiejszy, niepasujący do otoczenia. W jakiejś czarnej skórzanej kurtce, spodniach w kant długo trzymanych pod prześcieradłem, buty rozczłapane, wlokące się po ziemi sznurówki. Jakoś tak mocno wyprostowany, jakby chciał przydać sobie godności. Lecz odzież nie leży na nim jak ulał. Raczej luźno zwisa, jakby oblekała sam szkielet, jakby pan Henryk nie posiadał już ciała. Twarz blada, wychudzona. Oczy zamglone: żadnego strachu w nich nie ma. Czy ja też kiedyś będę tak wyglądał? Posuwa się, kroczy przed siebie zupełnie wyzbyty strachu. Nie mam pojęcia, czy mnie rozpozna, czy jeszcze mnie pamięta. A może mnie sobie przypomni? Czy powiedzieć mu, że wracam od wnuka? A cóż go mój wnuk może obchodzić, jeśli on zapewne nie potrafi orzec, czy ten rynek jest rzeczywisty. Dokąd tak dryfuje pan Henryk? Mój wnuk przeżył cztery miesiące, pan Henryk przeżył swój czas. Kiedyś nosił wiadra z wodą, woził piasek, ustawiał ludzi po wałach. Był dumnym wojownikiem, był silny i nie miał wątpliwości, o co walczy. Wznosił szablę, wyznaczając pułap. Dzisiaj podąża bez celu, bez znaczenia, śni już i nie wie, czy śni. I czy mnie dostrzega? Chyba tak. O co mam teraz go zapytać? Sam też niedługo przestanę istnieć. Także patrzę w dal i wyczekuję odpowiedzi. O żonę może spytam, a co mi tam. Niech powie, co u niej słychać, jak się czuje pani Korygowa.

Zrównaliśmy się, ramię w ramię.

– A dokąd to, panie Henryku? Dawnośmy się nie widzieli.

– A od kogoś ty, chłopocku, czy nie od tej tarnowionki z dołu?

Odpowiadam, że tak.

Pan Henryk na to, że do banku się wybrał, po emeryturę, dla siebie i dla żony. A gdy zapytałem o żonę, wzruszył ramionami, niewiele ma o niej do powiedzenia. Coraz rzadziej ją widuje, nie bardzo wie, czy ona to ona, bo chowa się przed nim, w oknie wystaje, obiadu nie chce ugotować, w ogóle to kurwi się codziennie nie wiadomo z kim i gdzie, sama skóra i kości, chudzina.

– Kiszki bym se kupił, takiej dobrej, głodzą mnie.

Patrzę na pana Henryka i widzę tylko jego mizerną twarz, same kości jarzmowe, skórę przykrywającą czoło, każdy szczegół, każdy mały kawałek układanki, nic tylko prochy naszych wspomnień.

– Z domu nie pozwalają wychodzić, to ta synowa, już nie wiem, a u mamusi co tam, u tatusia, żyją jeszcze, pomarli?

Kiedyś zazdrościłem panu Korydze męstwa, pewności siebie, zawsze wiedział, dokąd iść, co robić. Dzisiaj wydaje się, że byle jaki podmuch wiatru może go przewrócić, gdy tak ściska moją dłoń, pytając, od kogo jestem.

Porusza się w zwolnionym tempie, jakby jakieś nieznane brzegi utrudniały mu dalsze kroki. Próbuje dotknąć niewidzialnej zasłony. Wszystko wiruje jak tęcza, która pokrywa całe niebo. Gdybym tylko mógł wiedzieć, dokąd zmierza.

– A ty co, idziesz żaby miśkować z tym pustym rozporkiem? – I nie czekając na odpowiedź, jakby to przez niego jakiś obcy głos przemawiał, ciągnie: – Oto wezwanie do żalu, do prawdziwego żalu. Nie można się ślizgać po powierzchni zła, trzeba sięgać do jego korzeni, do przyczyn, do całej wewnętrznej prawdy sumienia.

Właśnie to chcę ci powiedzieć, dźwigając swój krzyż: „Nie płacz".

Straciłem z oczu jego profil, nos zgrzybiały, oczy mgliste, włosy śnieżnobiałe, usta sine, w których większość zębów zmarnowanych i gnijących. Czułem dotknięcie jego zimnej dłoni, wchłaniałem w siebie jakieś nędzne skrawki zapachu starości, bez ładu i składu, mydło i powidło.

IX

Numer 98:

babcia

odeszła w wieku 89 lat

Z otwartego okna dobiega mnie odgłos przejeżdżające-
go w dolinie pociągu, przypominający mi szkołę śred-
nią, do której musiałem codziennie dojeżdżać, i babcię
udającą się codziennie o poranku do kościoła. Stukot
kół o szyny dobiega z oddali, dzwonek opuszczanej ro-
gatki. Za moimi plecami łóżko. Ile to już lat? Nie ma co
liczyć, na co to komu? Rodzina ze strony mojego ojca
już nie żyje: jego bracia, siostry, rodzice. O babci nikt
mi już nie opowie, muszę polegać na swojej pamięci,
jak zwykle sięgać pamięcią do przeszłości. Dawne czasy minione, bezpowrotne. Obraz kuchni, stołu nakryte-
go ceratą. Na nim karpiele i owsianka, sianko i suszone
ćwiartki jabłka. Ciotka, babka i ja oparty na blacie. Przychodziłem do nich przez sień na drugą stronę. Matka
niechętnie godziła się na te moje wędrówki po domu.
Nie chciała, bym zadawał się z babką, żeby ona miała na
mnie jakikolwiek wpływ. Uważała swoją teściową za zło
wcielone, za wielką grzesznicę, mimo iż ta codziennie
się modliła i chodziła do kościoła, jak tylko zasygnowali.

Matka dużo zła podżyła ze strony babki. W największe mrozy potrafiła wyłączyć prąd, żeby matka nie miała jak ugotować nam obiadu, bo w piecu wygasło. Lecz ze mną to jakoś inaczej było, nie podzielałem tej matczynej nienawiści do babki. Wręcz przeciwnie. Lubiłem ją, chętnie szedłem do niej na drugą stronę, żeby się tam przy niej bawić, dokazywać. U niej piec był jakiś taki ogromny, rozpalony do czerwoności, półmrok dookolny, gdyż światła się tam nie zapalało, chyba że przyszedł czas spoczynku, ścielenia łóżek, przygotowywania się do snu. Czułem się tam jak ryba w wodzie. W każdym kącie kryła się jakaś tajemnica, więc z ochotą zaglądałem w każdą szczelinę, nie bojąc się nikogo ani niczego. Tak jak teraz, gdy patrzę na puste łóżko ogołocone z pościeli. Stoję pośrodku pokoju. Jeden moment, jedna chwila dzieli mnie od porwania przez bieg zdarzeń, nie mogę się utrzymać na nogach, czuję wilgoć w oczach, łzy same napływają, próbuję to powstrzymać, żeby wszystko zniknęło, lecz obrazy stają się coraz wyrazistsze. Przegrałem, odchodzę na bok, nie chcę tego widzieć. Powroty są trudne. Muszę posprzątać po sobie, zniszczyć świadectwo woli i potęgi. Babka niezmiennie powtarzała, żeby nie niweczyć swej pracy, nie zaprzedawać serca ani nie podporządkowywać się innym.

Zawsze znajdowałem jakiś pretekst, by uciec na drugą stronę. Przeważnie tłumaczyłem się, że idę do babki odrabiać lekcje, bo tam mam do tego lepsze warunki. Brałem zeszyty, kałamarz, pióro. I zanim zrobiło się całkiem ciemno, miałem zapisane dwie strony w zeszycie piękną kaligrafią.

Jestem ostatnim świadkiem tamtego szaleństwa, jedyną osobą, która pamięta owe chwile, niewinne, radosne, naturalne, jak zamiast dodawać i odejmować, biorę do ręki kredki i zaczynam malować niestworzone rzeczy. Rajskie ptaki, ogrody gęste i kolorowe. Kuzyn Jakub przysiadał się do mnie, żebym bawił się setnie bez najmniejszych wyrzutów sumienia. Pomaga mi wyczarowywać coraz cudaczniejsze światy. Jego kredki woskowe są niezwykłe; czarowność podniesiona do najwyższej potęgi. Z minuty na minutę ogarnia mnie coraz większe niedowierzanie, zachwyt. Podziwiam kuzyna, że wszystko tak doskonale mu wychodzi, stokrotki są jak żywe. Zazdroszczę Jakubowi świetnej kreski, doboru kolorów. Jego ogród jest barwny i zachłanny, zaprasza mnie do siebie, żeby wejść w ten namalowany świat. Nawet nie jedną nogą. Cały powinienem się rozłożyć na tej wspaniałej łące, co nie powinno być trudne, bo widzę Eulalię rozwaloną w trawie, jak przywołuje mnie do siebie uśmiechem. Jest naga i to nie z łąką przyjdzie mi się zjednoczyć, tylko z ciałem Eulalii. To już jest jasne. Pierwszy pocałunek dobitnie o tym świadczy. Woda się wylała, nic już nie poradzisz. Żeby tylko niczego nie żałować. Nawet osty nie są przeszkodą, gdy tak przenikamy się nawzajem. Pobliska budleja przyciąga motyle. Są i drabiny, skowronki, kajdany, stare księgi, kosy, woda, liry. Najpierw usłyszałem chaos hałasu, a później ciszę, jak się pięknie splatają. Mgły uciekają. Eulalia zaczęła mnie całować, pragnie naznaczyć mą szyję ustami, żeby wszyscy widzieli, jaką erotyczną i grzeszną malinkę mam na ciele. A gdy ja chciałem się jej odwdzięczyć tym samym, by ostatecznie wrócić w młodzieńczość i jej świeżość, odsunęła się ode mnie, jak słońce, ogień i pył. Musiałem nabrać wiatru w żagle, żeby uderzyć o jej chłodniejące ciało. Impet podmuchu jest tak ogromny, że nie mogę poruszyć ręką, nogi mi drętwieją. Żonkile jaśnieją i żółcą się w oczach. Napędzam wyobraźnię nieistotnymi gestami, szczegółami, słowami, przecież wszystko może coś oznaczać! Każde spojrzenie może mieć ukryty cel, nawet rysunek kuzyna zaczął się odzywać. Najmniej istotne zdania są gromadzone w mojej głowie, poddawane głębokiej i wnikliwej analizie. Przecież wszystko może okazać się do czegoś przydatne. Z zasady wątpię we wszystko, a gdy coś to wątpienie podkopie, po prostu się cieszę.

Kuzyn, gdy skończył malować, wziął mnie do drugiego pokoju z ogromnym łóżkiem nakrytym kapą we wzory symbolizujące śmierć, erotyzm, przemijanie, cierpienie, grzech, próżność. Rozłożył się w wygodnej pozycji i zdjął spodnie. Poprosił, żebym położył się przy nim, to mi coś pokaże, coś, czego ja jeszcze nie mam, gdyż jestem szczawikiem, ale dobrze byłoby, bym wiedział, co mnie czeka, co przede mną jeszcze się rozpostrze. Już na owłosione uda patrzyło się z obrzydzeniem, a co dopiero na zarośnięte jądra i sztywnego penisa, gdy kuzyn zdjął majtki. Miał kolosalną erekcję. Zupełnie beznamiętnie, całkowicie bez finezji i do tego nieporadnie dał mi do ręki swojego nabrzmiałego kutasa, żebym pomógł mu w robocie. Oczywiście zrobiło mi się niedobrze, ale cóż miałem począć. Za każdym trzepnięciem skórką spod naszych dłoni gnały coraz bardziej odrażające twory chaosu i pustki. Kuzyn sapał, stękał, kręcił się i wiercił, był jak Lewiatan, który chce mnie doszczętnie pochłonąć, rozszarpać na kawałki niczym resztki jedzenia. Przycisnął moją twarz do swoich ogromnych jaj i twardej pytki. Nic nie mogę zrobić, sperma płynie z penisa szeroką falą. Próbuję się wyrwać, aby się nie zachłysnąć, to moje zadanie, mój cel. Na moich oczach kuzyn opada z sił, słabnie, spermy jest coraz mniej, zbyt mało, by dotknęła mojej piersi. Zatrzymała mi się na brodzie. Kuzyn powiedział, że to wszystko tylko po, bym się dowiedział, że żeby być człowiekiem, od czasu do czasu trzeba być złym człowiekiem. I żebym o tym nikomu nie mówił, bo tylko się ośmieszę. I miałem podobne odczucia. Właściwie niby bez zarzutu, a blado i jakoś tak... po chwili w pokoju nie było żadnego śladu po kuzynie, pokoju oddalonym od innych pomieszczeń, umeblowanym w większości tym, co wyrzucono z innych klitek. Są tu deseniowe linoleum i zniszczony dywan, zegar z kukułką i rozklekotane wiklinowe fotele, stojak do wietrzenia ubrań i stolik przykryty czerwoną serwetą z frędzlami, poplamioną atramentem. Zielono-różową tapetę zdobią kolorowe ryciny z pism.

Wróciłem do babci zawiedziony, zniechęcony. Kiedy zobaczyłem, jak nadal gnije w wyrku, stanąłem, zagradzając sobą ogień, jakbym stawiał czoło napastnikowi. Rozległo się pukanie i w progu stanął mój ojciec. Zawsze gdy wracał z daleka, najpierw zachodził do swej matki, by nasłuchać się plotek o żonie. Moja babcia mąciła w głowie najukochańszemu synusiowi, żeby wiedział, z kim ma do czynienia, z jaką kobietą się związał, kogo sobie wziął za żonę. Ojciec jest murarzem, a dzisiaj wygląda jak jakiś dygnitarz. Długi płaszcz, kapelusz, szal, buty wypastowane na glans. Pod pachą skórzana teczka. Ojciec jakiś odmieniony, pachnący nie wiedzieć czym. Chyba trochę podpity. Nigdy nie brakowało mu fantazji i polotu, wulgarności i opryskliwości. Patentowany bywalec knajp.

Babcia spojrzała na niego z gniewem i krzyknęła ze złością:

– Cóż tu się nie działo, jak cię nie było! – Po czym zaczęła nadawać na moją matkę, wygadywać niestworzone rzeczy, które nigdy nie miały miejsca, że to najgorszy kurwiszon. – Ale ci się trafiła żona, jaki wstyd, za jakie grzechy pod naszym dachem taki diabelski pomiot, jebadło, wypierdol ją jak najszybciej, zanim będzie za późno, ciebie nie ma, to nie wiesz, co ona tu wyprawia, jakie brewerie, przychodzą różni, leżą na kupie, kwiczą, Waldziu musi na to wszystko patrzeć, to do mnie przychodzi, żeby się bawić, bo tam u niej nie ma jak, widzisz, popatrz na niego, jaki bledziutki, a przedwczoraj Szymek od Madeja był u niej, gzili się, wódkę pili, śpiewali, pewnie jemu też jaja wyhuśtała, ladacznica, zrób coś z tym, z domu ją wyrzuć, bo to z nią skaranie boskie, patrzeć nie można, dzieci wszystko widzą, zgorszenie i poruta, łazi po chałupach, szlaja się wywłoka, po ludziach głupoty gada, rozpowiada, jak to jej z tobą źle, że ją bijesz, spać jej nie dajesz, ta wydra o dzieci nie dba, sama po wodę do studni nie pójdzie, tylko Waldusia wysyła, jakby on nie wiadomo ile miał siły, a to taka chudzina, biedaczek, dobrze, że do mnie przychodzi, to go nakarmię, pobawić się w spokoju może, zawsze coś mu się ugotuje, lanko, kaszkę, karpiela usmaży na blasze, on to lubi, a kurwę wywal z domu na zbity pysk, po co ona jest ci potrzebna, niech weźmie młodszego syna i wynocha, tak jej powiedz.

Ojciec po takim monologu za każdym razem szedł do matki mocno rozjątrzony i zaczynał ją wyklinać, wyzywać od najgorszych, jakby powtarzając słowa babki, wykrzykiwać słowa obraźliwe. Tłumaczenia matki na nic się zdawały, ojciec był święcie przekonany, że to, co babka powiedziała, jest absolutną prawdą. A kiedy brakowało mu słów, brał się do bicia, damski bokser, rzucał naczyniami, tłukł talerze, szklanki, awantura na całego.

– Ty szmato, ty ściero!

Skryłem się pod łóżkiem babki, by nie słyszeć krzyków ojca. Ciemno tu, rozmaicie. Ale jak się dobrze wpatrzyć, można ujrzeć w kącie siedzącego cicho królika. Są szczypawki do zabawki, pachnie przepoconymi skarpetami, onucą i sikami. Czuję na grzbiecie sprężyny łóżka, całe szczęście, że babka jest lekka i rzadko przewraca się na bok, więc mogę się śmiało czołgać pod łóżkiem. Królik jakiś zagrzebany w sianku, skulony, wystraszony. Kiedy jestem bardzo blisko, zapiera się łapkami, by czmychnąć obok i skryć się po drugiej stronie łóżka. Ukryty królik, przyczajona mysz. Och, a cóż to, ból, moje palce w łapce na myszy. Cóż za niespodzianka. Nie jest trudno się oswobodzić.

– Chodź tu do mnie, nie bądź trusia.

W oczach błyska mu światłość. Czego ja od niego chcę? Przecież nie będzie się ze mną bawił. Lepiej pobawię się jego bobkami, które są większe od mysich. Żeby tylko jaki szczur się nie trafił, boję się szczurów. Ich długich ogonów. Noc długich ogonów. Smród szczyn staje się nieznośny, ale nic to, pod łóżkiem babki jestem morowy. Pokonuję lęk przed wszelkim upodobnianiem się do innych, gdyż lęk przed wszelką różnicą jest mi obojętny. Polacy bardzo chętnie upodobniają się do siebie nawzajem. Baczą, by nie odstawać. Skąd tu tyle kapeluszy, apaszek? Głupia rzecz, a wzbudza zaciekawienie. Gdzie jest mój królik? Słyszę babcine modły, jej ojczenasz i zdrowaśki. Natykam się na podpaski, waciki, jeszcze tylko papieru toaletowego brakuje, jednorazowych chusteczek do nosa; być może te śmieci mają szansę na drugie życie. Robi się coraz ciemniej, ciemno jak w dupie u Murzyna.

– Wyłaź stamtąd, huncwocie – mówi babka. Zaczęła się wiercić, łóżko trzeszczy, skrzypi, chrzęści.

– Zaraz, zaraz.

– Ty smrodzie jeden, wychodź, i to już.

Babcia zalega wysoko nad moją głową.

Spłoszony głosem babki królik jeszcze mocniej przywarł do ściany.

Nie ciągnie mnie do głębi, nie mam potrzeby przecedzania oceanu, ale skąd babcia może o tym wiedzieć. Chce, żebym wyszedł spod łóżka, i tyle. A mnie tutaj tak dobrze, chociaż trudno podnieść się z kolan i obrócić się na brzuch. Trwam tutaj beznadziejnie, szukam jakiegoś celu, którego można by się uchwycić. Otaczają mnie odpadki życia. Nade mną babcia z różańcem w dłoni. I bawię się odchodami królika i myszy. Nie chcę się stąd ruszać, to moje rozgrzeszenie, moja pokuta. Babcia czeka na mnie, żebym się całkowicie nie pogrzebał, słyszę, jak się wierci na łóżku. Zaczynam zgarniać bobki, biorę je w dłonie i usypuję kupki, jedną, drugą, trzecią, każda kolejna jest większa od poprzedniej, ciekawsza, nie mam innego wyjścia, muszę to robić, bo nic innego po mnie nie pozostanie. Uśmiecham się wśród nawoływań babci, jej ręce oplatają moje ciało, unoszą mnie, jej usta mnie całują, zawsze byłem wierny, odkąd patrzyłem, jak niszczy barykady.

Przedzieram się delikatnie przez naskórek myśli i wrażeń, wnikam w głębsze tkanki, dotykam zmysłów. Tworzę unikatową strukturę, pełną pułapek niedomówień i słów niepamięci. Ukryte są w niej zamierzchłe gesty, znaczące spojrzenia, liczne oddechy. Babcia znowu jest w łóżku, jak co roku od późnej jesieni do wczesnej wiosny. Odpoczywa od pracy w ogrodzie. Teraz tylko *Różaniec* i *Skarbiec modlitw i pieśni*. Jedna chustka na głowie, druga pod poduszką. Najbardziej interesuje mnie to zawiniątko pod poduszką. Tam babcia ma schowane pieniądze. Przyklepuję pierzynę i proszę ją, by dała mi pięć złotych na lizaka. Zanim sięgnie po węzełek, każe mi razem ze sobą się pomodlić, zmówić ojczenasz i zdrowaśkę. Muszę też przeczytać dla niej fragment Pisma Świętego. Gdy czytam, leży wysoko wsparta o poduszki. Chce usłyszeć kolejne kłamstwo, w które uwierzy, które ją pokrzepi, da jej jakąś nadzieję. Więc czytam na głos Ewangelię, gdzie jest napisane, że każda stacja Drogi Krzyżowej jest jakimś kamieniem milowym miłości i posłuszeństwa, tego samoupodlenia. Miarę tego samoupodlenia uświadamiamy sobie w pełni, gdy widzimy, że On znów, po raz trzeci, upada pod krzyżem. Uświadamiamy sobie w pełni, gdy rozważamy, kim jest ten upadający. Kim jest Jezus Chrystus? On, który posiadał Boską naturę, nie skorzystał ze sposobności, aby być na równi z Bogiem, lecz obnażył samego Siebie, przyjąwszy postać sługi i tym samym stał się podobnym do ludzi. A wewnętrznym przejawieniem uznany za człowieka, uniżył samego Siebie i tym bardziej stał się posłusznym aż do śmierci.

– Waldziu, ja już niedługo umrę. – Rozwiązała supełek i podała mi pieniążek tak, żeby ciotka nie widziała. Nachyliła się do mojego ucha i szepnęła: – Tylko z nikim się nie dziel, bratu żebyś ani grosza nie dał i nic mu nie kupował.

Ciotka patrzy na nas znad metalowej tarki, na której pierze różne tkaniny, szoruje, że bańki mydlane hulają pod sufitem, gdzie babcia nie widzi już mapy świata, a tylko wspomnienie swojej odysei. Sporządza prywatny inwentarz. To naprawdę zadziwiająca rzecz, jaka może się człowiekowi przytrafić w ciągu całego życia. Jakby wszystkie lata, które w swoim czasie wydawały się wypełnione i ciekawe, prowadziły jedynie do chwili, kiedy koniec jest tuż-tuż.

Widać babcia poczuła pismo nosem. Leżąc na łóżku, wróciła do modlitw. Takie nagłe zatracenie tożsamości w życiu, w którym czuje się przynależna do ogrodu. Coś ją ugryzło, bo zachciało się jej iść do kościoła. Ubrać się każe, odziewać w najmniej zniszczony strój. Gdzie spódnica, gdzie chustka, przecież już od dłuższego czasu sygnują, nieładnie jest spóźniać się na mszę. Jeszcze innej chustki poszukuje, tej z monetami, gdyż zawsze na tacę księdzu daje, żeby zaprzyjaźnić się ze Stwórcą. Moja matka w takich chwilach zadaje pytanie, po co ta swarliwa baba do kościoła idzie, przecież ona nie potrafi udźwignąć całej prawdy: tyle zła ma w sobie, może dlatego potrzebuje Zbawiciela. Jest już bardzo stara, kuleje. Ale doskonale to ogrywa, prostując się na tyle, na ile pozwalają jej bolące plecy. Utyka po kuchni, omija stoły, stołki, stuka trepami, bo na bosaka nie da rady już chodzić jak dawniej, gdy wracała z targu. Chce pokazać, kto tu rządzi i kogo trzeba się bać. Teraz nie ma już odwrotu. Rozchodzący się po pokoju uparty głos zwyciężył. Wszyscy się zastanawiają, kiedy babka wreszcie kipnie w tym wyrku. Gdy ostatnio wróciła z kościoła, położyła się i powiedziała, że w tym roku nie będzie w ogrodzie już niczego siać, grabić, sadzić ani przesadzać. W ogóle nie będzie się ruszać z łóżka, nic już ją nie obchodzi, niczego nie potrzebuje. Zaraz też pojawiła się rodzina z dalekich miast. Jej dzieci, które rozjechały się po Polsce: brat i siostra ojca, żeby czuwać przy umierającej matce. Zrobiło się tłoczno i zaczęło brakować dla mnie miejsca. Ale coś tam jeszcze widzę, oglądam zza pleców wujków i ciotek. Talerz idzie w ruch, mocno już zużyty, babci ulubiony, gdyż z innego niczego do ust nie weźmie, od lat jej służy, przecież dziur nie ma, zupa nie wycieka. Wszyscy chcą ją karmić, lecz babcia już nie jest głodna, już żaden pokarm nie jest jej potrzebny, tylko słowo Boże, wiara w Chrystusa, przekonanie, że on istnieje i jest Bogiem.

Ręce babci opadły gwałtownie, ziemia zawirowała mi przed oczami, a wraz z nią wirują i kłębią się cząstki, atomy, cząsteczki, a więc i my, jak muchy przyklejone do szyby. Możemy jednak wzajemnie wpływać na siebie. Mówić sobie czułe słówka, żeby kolanko podnieść czy obrócić się na brzuszek. Ale stóp to i tak nigdy doszorować babci nie można, bo jakieś zrogowaciałe i spękane.

– Co tu robisz, smrodzie jeden? – wujek Lusiek zwrócił na mnie uwagę.

– Chodzę, gdzie mi się żywnie podoba – odparłem.

– Patrzcie, jaki mądrala, bez precedensu.

Przecież to moja babcia, to ja ją kocham najbardziej, to ja z nią jestem przez cały czas. Przyjechali z daleka i myślą, że im wszystko wolno, że zabiorą mi babcię, że nie będę mógł więcej się bawić u jej stóp. No na pewno, niedoczekanie ich. Niech czuwają przy niej, co mi tam, okno otworzę, gdyż duszno się zrobiło, sam nie wiem, czym się tak przejmuję.

Doprowadzam się do porządku, mijam domy, drzwi, znów staram się być twardy, mimo tego, co widzę. Nie mogę się już bardziej buntować, za późno. Przystanąłem w pokoju – cały jest pokryty kurzem, zasłany kwiatami, pełno w nim dzbanów, zegarów, kielichów, muszli, owadów, noży. Wchodzę w głąb ostrożnie, rozglądam się na boki. Przecież przeszłość, która jest świadectwem, w każdej chwili może się zawalić. Babcine łóżko stoi w tym samym miejscu. Zaglądam pod nie, pośród ciemności tłoczą się odpadki, królicze bobki, zdechłe myszy. Piękne łachy w bezkształtności. Tu nieskończoność, a tam sztuczna szczęka. Nic nie przybliża zrozumienia wieczności tak jak sztuczna szczęka babci. Babcia wierzyła w Boga, bo powiedziano jej, że On istnieje, tak ją nauczono. Nie szukała Go, uwierzyła w Niego. Nie potrzebowała wiedzy o kwantach, fotonach, muzyce Xenakisa, obrazach fowistów, grafikach Noldego, filmach Tarkowskiego. Nie trudziła się poszukiwaniami odpowiedzi na pytanie, skąd się wziął świat. Słowo „Bóg" zastępowało jej potrzebę znajomości praw fizyki, dzieł filozofów, wszystkiego.

Ostrożnie stąpam po podłodze. Wszystko, czego dotykam, pokrywa się obrazami z przeszłości. Przeszłość wlatuje w każdą szczelinę, w każdy zakamarek mnie i nie szuka wyjścia. Babcia umarła i niczego po sobie nie pozostawiła. Nikt jej nie wspomina. Ojciec chciał urządzić w jej pokoju muzeum, lecz nic z tego nie wyszło. Nie udało się zgromadzić wystarczającej ilości eksponatów. Nawet różaniec gdzieś się zapodział. W chwili śmierci trzymała go w dłoni, modląc się i patrząc przed siebie, pytając Boga, dlaczego uczynił ją taką słabą i czy da jej życie wieczne. A o co ja mam teraz pytać świat, też patrzę w dal i wyczekuję odpowiedzi. Widzę tylko lustro zasnute pajęczyną.

X

Numer 133:

Mateusz Matys
odszedł w wieku 49 lat

Napotkałem spokojny wzrok Mateusza. Czekałem, aż podejdzie się przywitać, ale się nie ruszył. Po chwili poprosił, żebym usiadł.

– Jest tylko jedno, nie można się na nim za mocno opierać – dodał, chwytając twarde krzesło z wygiętym ciemnym oparciem i podziurawionym brązowym płóciennym siedziskiem. – Wiesz, Waldek, że jesteśmy spokrewnieni, matki naszych ojców były kuzynkami.

– Tak, pamiętam twoją babcię Leonię, z domu Kapałkę. Rodzice zabierali mnie do Przylasku, ona była już całkiem głucha, chodziła po lesie, jakby za czymś wypatrując, zamknięta w ciszy, niesłysząca śpiewu ptaków. Chrustu dotykała, rzucała spróchniałe gałęzie do wąwozu. Trudno było za nią nadążyć, była bardzo żywotna. A ty, Mateuszu, moją babcię pamiętasz?

– Co bym miał nie pamiętać, całymi dniami po ogrodzie hulała, plewiła, siała, nie było miejsca, w którym by coś dorodnego nie rosło.

Mateusz potrząsnął głową. Szczegóły twarzy zupełnie inne niż ostatnio, gdyśmy się spotkali na rynku – zupełnie nieruchoma twarz. Wszystko niby na swoim miejscu i w dobrych proporcjach, ale bez życia. Jakby nie potrzebował żadnych dróg krzyżowych, zmartwychwstań ani pokut. Wydaje się, że nawet nieprowokowany, niepodpuszczony jest w stanie niszczyć własną przestrzeń.

Wstał, żeby zagasić papierosa w popielniczce wypełnionej po brzegi petami. Wtedy zauważyłem coś dziwnego.

– Skaleczyłeś się?

– Tak, duszę mam całą poranioną.

– Ale czy powinieneś tak sam tutaj mieszkać? Widać, że nie dajesz sobie rady. Źle ci było przy rodzinie?

– Czepiali się jeden drugiego o bzdury, stroili fochy.

– No ale miałeś posprzątane, miska pełna, było do kogo się odezwać.

– Zarzucali mi kłamstwa i najgorsze intencje. Knuli, podszywali się.

Patrzę na Mateusza i wydaje mi się, że jest jak góra, która trwa dla siebie samej. Ludzie nie chcą się na nią wspinać, ale to jej niczego nie ujmuje. Mateusz jest jak góra z lodu, roziskrzona w środku dnia setkami własnych drobin, odbijająca się w sobie samej jak w lustrze. Albo otoczona parą z mroźnej mgły, cicha i majestatyczna lub groźna i hulająca wiatrem. Doskonała. A jednak nęci, by się na nią dostać. I ja dzisiaj jestem u niego, siedzę naprzeciwko, chcąc mu powiedzieć, że do tej pory miał gdzie wrócić, z kim się podzielić, coś powiedzieć, a teraz szukaj wiatru w polu. A niech to! Przecież wcześniej czy później wszystko minie. Przyspieszać to, co samo przyjdzie?!

Zastanawiające jest to, dlaczego Mateusz nie widzi brudu, błota, kurzu, śmieci. Nie przeszkadza mu smród niedopałków papierosów porozrzucanych po wszystkich kątach. W jednym miejscu jest ich więcej, w drugim mniej. Puszki po konserwach, słoiki po sałatkach zalegają to tu, to tam, że można się na nich przewrócić. Tylko skąd tutaj szabla Babla, menażka Haška, kanapka Čapka, berżera Flauberta, otomana Maupassanta, pianola Gogola, szczęka Maeterlincka, chlamida Gide'a, gonada Sade'a, gitara Eluarda, boa Poego i guma Dumasa.

Niczego nie wrzuca do ognia. Niedbały, wytworny ruch ręki i zapałka ląduje byle gdzie, od popiołu zaczynając, na najodleglejszym kawałku węgla kończąc. Ale na półce widzę Machauta, Monteverdiego, Manfrediniego, Mendelssohna, Mahlera, Messiaena (litościwie pomijając drugi regał, na którym stoją Marley, Marillion, Megadeth i Joni Mitchell…). To wcale nie mizeria.

Mateusz sięgnął po butelkę z winem i łyknął sobie, by dobrze mu się zrobiło. Pije, gdyż wówczas mniej widzi, nie dostrzega tej całej menażerii, która kryje się za meblami, za firankami, za zasłonami ciężkimi od dymu papierosowego. Rzadko bywa w domu, przychodzi tylko wieczorami, by walnąć się do łóżka i przeleżeć do rana, kiedy to trzeba wstać do pracy. Niedawno nie wychodził z wyrka przez kilka dni: nie jadł, nie pił, trwał w bezruchu, chcąc zastygnąć, odpuścić życie, umrzeć. Później miał pretensję do całego świata, że nie pozwolił mu odejść w spokoju.

– Ale jak się napiję wina, to wszystkie lęki, strachy odchodzą na bok, chce się żyć, rozmawiać. Z radością można się przywitać ze znajomymi, porozmawiać o pogodzie, o pracy. Nie ma tej niepewności, tego wahania, w którą stronę pójść czy odwrócić głowę, poruszyć ręką. Praca jest potrzebna, przekładanie skrzynek, rozwożenie towaru. Żeby tylko szef się nie wtrącał, żeby nie pyskował, o byle co się nie czepiał, jak ostatnio, gdy butelka wódki się rozbiła zupełnie przez przypadek. Niechcący pchnąłem szyjkę i poleciała na beton. Nie dało się uratować, to mówię, żeby sobie odbił z wypłaty, chociaż co za pieniądze ja zarabiam, wstydziliby się płacić mi takie grosze, zapierdalam od rana do nocy za frajer, tyle, co na jedzenie mi starcza, nawet ciucha jakiego nie mam za co kupić, popatrz, Waldek, na moje dłonie, twarde jak sęki, poorane, palcami nie mogę ruszać, tak mi się wyświechtały o te skrzynki po piwie z ostrymi brzegami. A szef tylko z mordą na mnie jak na jakiego woła roboczego, ja mu kiedy krzywdę zrobię, albo sobie, coś na szyi mi urosło, nawet nie chcieli tego ruszać, jak leżałem w szpitalu, bo mnie pogotowie zabrało, coś tam szeptali pod nosem, dotykali tego guza, i co to będzie ze mną, jak dam sobie radę, kiedy mnie chuj zwolni z pracy, za co będę żył, gdzie pójdę, do kogo po pomoc? Dobrze, że chociaż do Róży mogę iść, odwiedzać ją, dziewczyna też nie najlepiej się czuje, ale wypić to jeszcze ze mną wypije, strzelimy sobie po lampce wina, pogadamy, kawę zaparzy, ciastem poczęstuje, chlebem ze smalcem, skwarkami i z cebulą, ona niczego nie wyrzyguje, ona jedna mi przychylna, chyba mnie lubi, chociaż nie wiem za co, gdyby jej zabrakło, zaraz idę za nią, ani chwili nie będę czekał, wezmę sznur i się powieszę. W końcu przestanę odczuwać ból wbijanych w ciało szpilek, jak pazury drapieżnego ptaka, jak drzazgi. Nie będzie wspomnień, bezsennych nocy, ciężkich skrzynek z butelkami, tego codziennego bólu głowy, zmęczenia i braku alkoholu we krwi.

W oczach gromadzą się łzy i ból, a czasem źrenice są tak suche, że trzeba je zakrapiać. Mateusz jest jak zepsuty kocioł, do którego nie wolno dorzucać węgla, bo może wybuchnąć. Jego organizm jest spustoszony, jakby wiódł życie w ciemnej suterenie, pośród tysięcy ton odpadków, końskiego łajna, zdechłych psów, kotów i szczurów, powodzi ścieków, szlamów i trujących substancji pochodzących od grabarzy, farbiarzy, mydlarzy i wszelkich zakładów chemicznych.

W niedzielę, w ten jeden dzień wolny od pracy, Mateusz krąży wokół rynku, popijając winko zza pazuchy. Jedna rundka, druga rundka. Ludzie idą do kościoła albo z niego wracają i pozdrawiają Mateusza, gdyż wszyscy w miasteczku go znają. Nikomu nie wchodzi w drogę, pracowity jest, uczynny, wystarczy poprosić, a pomoże, na każde zawołanie, skinienie palcem, chociaż też wszyscy wiedzą, że ma swoje ja, wówczas do Mateusza bez kija nie podejdziesz, bo krzyczy, przeklina, trudno powiedzieć, o co mu chodzi.

Dzisiaj Mateuszowi z nikim nie chce się rozmawiać, do nikogo przymilać, nikomu wyświadczać przysług. Gdy widzi kogoś idącego z przeciwka, przechodzi na drugą stronę ulicy, by się z tym kimś nie spotkać. Popija winko, z każdym łykiem robi mu się coraz bardziej błogo, przyjemniej, w głowie jakby jaśniej. Widzi Pelcię siedzącą na progu.

– Dlaczego ona się tak boczy, przecież ja już jestem gotowy, by z nią zagadać, ale ona udaje, że czyta gazetę, a niech tam, w dupie ją mam, nie musi się odzywać, ale przecież dopiero co, jak to ja nie chciałem, żeby mnie dostrzegła, żeby zauważyła. O, a tam? Po co ja gadam do siebie, skąd się to bierze, ta chęć wolności wyznania. Przecież wszyscy Polacy są katolikami, więc na co komu jakaś wolność wyznania, skoro mamy u nas pełną wolność wyznania dla katolików. O, idą z kościoła, należy przejść na drugą stronę ulicy, żeby nie trzeba było się witać, z ukłonami spieszyć. Zawsze złą drogę wybieram, mogłem skręcić za pawilon, tamtędy nikt nie chodzi, bo z kościoła powinno się prostą drogą iść, równo, z prądem, żeby wszyscy widzieli. Pięknie ubrane dziewczynki, chłopcy, mężowie, żony. W niedzielę się stroją, niedziela po to jest, żeby się stroić i nic nie robić, za pawilonem łyknę sobie winka, żeby nikt nie widział, bo to teraz miasto, a nie wieś, wszędzie same miejsca publiczne, co to za wolność, cóż to za swoboda obyczajowa. Nikogo nie widzę. O kurwa, a to co, skąd oni się tu wzięli, jakim cudem, czy ktoś dał im znać, że mnie tak przyłapali, jak przystawiam do ust gwint butelki…

– Panie Mateuszu, proszę tu do nas, co tam pan ma za pazuchą?

– A co was to obchodzi?

– Tylko spokojnie, dobrze było widać, że pije pan alkohol, za samo odkapslowanie pięćdziesiąt złotych się należy.

– Panowie policjanci, jak ja tu pijałem, to wyście pod szafę na baczność wchodzili, milicja jeździła i nic nie mówiła, wysiedli z gazika, przywitali się i tyle, a teraz co?

– Teraz nie wolno, takie przepisy, niech pan tu nie pije, żeby to było ostatni raz, bo następnym razem będziemy karać.

– Ale dlaczego nie mogę tutaj pić z butelki, komu to przeszkadza, przecież nikt tędy nie przechodzi, żadne samochody nie przejeżdżają, dawniej to chociaż furmanka tędy się przetoczyła, teraz żywej duszy nie uświadczysz, to co wy ode mnie chcecie?

– Jak mówimy, że nie wolno tutaj pić, to znaczy, że nie wolno, i niech się pan nie kłóci, bo zaraz mandat się wlepi, chce pan mandat, a może do sądu?

– Co to za życie, dawniej wszędzie można było pić, siedziało się pod Florianem z kolegami, harmoszka, śpiew, dziewczyny, komu to przeszkadzało, a teraz trzeba się ukrywać, nic, tylko się powiesić.

– Panie Mateuszu, niech pan idzie do domu, tam sobie wypije, po co się tak wygłupiać, taki poważny człowiek.

– A co mi z powagi, w dupie mam to wszystko, co w domu? Tam nic nie ma, nikogo, pusto, w domu ludzie umierają.

Gdy policjanci odjechali, Mateusz nie bez wysiłku opanował irytację. Jego różowa twarz przypomina tereny, które są martwe, skażone, wrogie. Zwisa na przygarbionym szkielecie. Po co wracać do domu, lepiej już błądzić, włóczyć się po mieście, krążyć wokół ratusza. A nie tylko budzić się co rano, wychodzić z domu, pracować, wracać, kłaść się spać.

Kolejny łyk alkoholu, coraz śmielej jest się poruszać, przechodzący ludzie nie są już straszni, obcy, można się do nich uśmiechnąć, zagadać. Nie ma co się przed nimi kryć, unikać ich, przecież oni może nawet są życzliwi, chcą się czegoś dowiedzieć, poklepać po plecach, dodać otuchy. Pewnie gdzieś się spotkamy, za którymś rogiem, na jakiejś ulicy, może za następnym skrzyżowaniem.

– Pewnie przejdę obok, udając, że mnie tu nie ma, bo przecież to nie na mnie zwrócone są oczy świata. Czasami świadomość tak gwałtownie sprowadza nas na ziemię, a bruk tak samo wszędzie twardy. Też mam czasami ochotę stąd uciec. Chodzę ulicami i patrzę na ludzi, którzy obnoszą się ze swoim szczęściem jak ze świętymi obrazkami. Później przychodzą do domu, ściągają te fałszywe maski i co noc błagają o kolejny cud. A co z niewiernymi?! Tymi bluźniercami, co nie klepią na klęczkach modlitw ze źle dobranymi rymami? Co ten Jerzyk tak patrzy, pewnie będzie chciał pogadać, jak zawsze gdy mnie widzi. Podchodzi do mnie, bo mu się zdaje, że dla mnie to wielka przyjemność zamienić z nim słowo, że ja tak chcę słuchać tego, co ma do powiedzenia, że on taki mądry i słusznie o wszystkim prawi. A przecież zawsze jest tak samo, kłótnie z tymi samymi wciąż o to samo. Spoglądanie na to jedno niebo, bo nie ma innego. Czekanie godzinami w kolejce do okienka pocztowego. Milczenie wtedy, gdy wypada coś powiedzieć. Mówienie, gdy należy milczeć...

– Co tam słychać, Mateuszu?

– Najbardziej interesuje mnie czas przeszły.

– Pierdol czas przeszły, popatrz, jaki piękny dzień dzisiaj, tylko usiąść z piwkiem gdzieś w trawie i oddychać świeżym powietrzem. Ja tak lubię. Biorę dzieci, piwo bezalkoholowe, kocyk i na łąkę, pięknie jest.

– Mnie tylko przeszłość interesuje, inna inszość.

– Dzisiaj będziemy spoglądać w niebo, wypatrując gołębi pocztowych, jak wracają do gołębników, ja w tym roku będę leciał tylko rocznkami i lecę totalnym wdowieństwem. Chcę gołębie posłać na wszystkie loty prócz maratonów.

– Dla mnie tylko przeszłość jest życiodajna.

– A już nie pierdol, Mateusz, weź się w garść, mało to przyjemnych rzeczy na świecie, zajmij się czymś, bo zgłupiejesz.

Jego twarz ma wyraz sennego roztargnienia, jak gdyby jego zagłębiony w alkoholu umysł został na zawsze uwięziony w butelce taniego wina. Życie dla niego jest serią niejasnych doznań, przeżywanych na wpół świadomie, na pograniczu jawy i snu. Nic tu po nim, z nikim porozumienia, zniknąć z rynku, wziąć się w nawias, wskoczyć do głębokiej studni. I utopić się, ale jak, skoro woda go nie chce, wyrzuca, wypluwa, podnosi się, wzbiera. Mógłbym skoczyć Mateuszowi na pomoc, ale widzę, że woda jest coraz wyżej i wraz z nim wypłynie zaraz ze studni. Słabo oświetlona niewielka fala zabrała mnie ze sobą. Nagle straciłem z oczu Mateusza. Jakoś nieswojo się poczułem, przecież chciałem mu podarować parasol, by ochronił go przed wszelkimi nieszczęściami. Przeczuwam, że może mu stać się krzywda, że zrobi sobie coś złego. Zacząłem rozglądać się wokół. Fala na moich oczach rozmyła się i obnażyła moje wątłe ciało, rzuciła mnie na kolana. Widoczny w mojej dłoni parasol ma sprawiać Mateuszowi przyjemność, uśpić jego gwałtowność, wzbudzić beztroskę, przymocować go doszczętnie do zmiennej pogody. Gdzież on się podział? Sprawdzę w zakładzie produkcji napojów gazowanych, będącym dla niego mrowiskiem, w którym oprócz tłustych mrówek – wiecznie zagonionych, zwykłych, szarych, pospolitych, codziennych, uciążliwych, rutynowych, przymusowych – latają motyle i nie uświadczysz ani kota, ani pieska, ani żadnej rzeczy, która jego jest. Nawet zacząłem zbliżać się do odpowiedniego skrzyżowania, gdy naprzeciw mnie wyszły pani Strzechwowa z panią Sporzychową. Zatrzymały mnie, bym zechciał z nimi porozmawiać. Właściwie to zaczęły mnie oskarżać o nie wiadomo co, krzyczeć na mnie, że zostawiłem Mateusza samemu sobie, że tak się nie robi, bo skoro podjąłem się opieki nad nim, to powinienem czuwać przy nim dzień i noc, a nie wałęsać się po rynku bez najmniejszego celu. Powinienem natychmiast udać się do szpitala, gdzie Mateusz leży i cierpi, i nie może dojść do siebie, bo życie usuwa mu się spod stóp. Lecz natychmiast odwinąłem się paniom, że ich wina też tu jest! Że jak setki milionów innych podobnych do nich cierpią na znieczulicę. Lubią znęcać się nad innymi… Czasem wystarczy tylko jedno słowo, by kogoś zniszczyć albo mu pomóc! Nie płaczcie i nie trwajcie w złym.

W sali na końcu korytarza stało łóżko, wszedłem do środka i drzwi zatrzasnęły się za mną. Spod koca słychać jęk. Przestraszyłem się. Chciałem otworzyć drzwi, ale się nie dało. Klucz obraca się w zamku swobodnie, bez zacięcia. Jęk spod koca staje się coraz głośniejszy. Jak podejść do łóżka, żeby uspokoić rozedrgany głos, jego moc? Ten jęk mnie po prostu poraża. Spostrzegam Mateusza, jak mi się wyślizguje i zaśmiewa się do łez. Zaczął opowiadać, jak cudownie nie czuć bólu, wszędzie pachnie miodem, a wokoło roztacza się świat, który nie ma bramy wyjściowej ani żadnych granic. Wszędzie widać radosne twarze i nie wiadomo czym spowodowane ich szczęście. Sam też poczuł jakieś wewnętrzne ciepło i radość, bezlitosne wyśmiewanie wszelkiego zadęcia i kurczowe próby kreacji siebie. Zamiast zagłębiać się w pościel, wchodzi między drzewa, przesuwa dłońmi po pniach. Uginają się jak na wietrze, słyszy, że niedaleko szumi morze. Fale rozbijają się o piasek. W powietrzu czuć jod i żywicę. Pod stopami mięknie mech. Mateusz wychodzi na plażę. Piasek jest już gorący, w górze pojawiają się mewy. Fale zatrzymują się coraz dalej. Kolejna zabiera go ze sobą. Woda jest ciepła i sięga do kolan. Z każdym krokiem zanurza się głębiej. Woda sięga do oczu. Niebo jest czyste, woda odbija światło. Masywne ciała ryb podobnych do psów, do kotów, do ptaków są przyjazne. Wystarczy, że poruszy ręką, a przepływające ryby formują się w budynki podwodnego miasta z okrągłymi okienkami, latarniami na rogach i bladymi ścianami. Usypują się kominy, wieżyczki i werandy. Targ wypełnia się gwarem rozmów, kolorowe owoce dryfują w głębinie. Jeden z najokazalszych z nich jest bardzo słodki i soczysty. Ciepło rozchodzi się po całym ciele. Nagle Mateusz dostrzega, że siedzę obok niego i gładzę go po dłoni, żeby zasnął. Patrzy na mój uśmiech.

Kiedy w końcu wrócił do domu, odchylił głowę w tył i przymknął powieki, ale był zbyt zmęczony, żeby zasnąć. Bezwład całego ciała, szum w głowie, nieznośnie piekące powieki, nieustanne napięcie nerwowe. Usiadł na tapczanie. Nie wie, czy wstać, przejść się, może się położyć, z trudem przychodzi mu podjąć jakąkolwiek decyzję. Wokół jest cicho, ale słucha mu się tej ciszy o tyle trudno, że jest ona pełna ciemności. Z nagła narodził się jakiś dźwięk. Skąd się wydobywa, gdzie go umiejscowić? To jakieś uciążliwe brzęczenie, rozciągliwe, jałowe.

W tej ciszy ten jednostajny dźwięk z każdą chwilą staje się nieznośnym hałasem. Jak się tego pozbyć, jak się pozbyć rozpełzającej, przybierającej na sile niby-muzyki?

Szyba w oknie daje znak życia. W tym nikłym świetle Mateusz dostrzega resztki jedzenia. Poczuł smród ekskrementów. W rogu pokoju hałda popiołu z popielnika, na którą od jakiegoś czasu oddaje mocz. Nie ma na nic siły, nic mu się nie chce. Gdzie będzie pracował, gdy wyrzucą go z roboty, bo przecież wyrzucą, już się o tym mówi? Nie będzie go stać na tytoń i alkohol – bez tych używek nie da się żyć. Szkoda Róży, jeśli ona odejdzie – a tak bardzo ostatnio schudła – to nie będzie się do kogo odezwać. Boi się, że Róża go zostawi, że straci pracę, że nie będzie go stać na lekarstwa, bo przecież coś tam mu przepisali. Kazali też zgłosić się na badania. Jak przez to wszystko przebrnąć? Tyle tego brudu, śmieci, jak to wszystko posprzątać, jak się tego wszystkiego pozbyć, gdzie wyrzucić?

Mógłby pójść do Róży, powiedzieć jej wszystko, ale nie potrafi podjąć decyzji, nie umie ruszyć się z miejsca. Czuje się samotny wśród mnóstwa ludzi. Naprawdę, nie odczuwa już nic. Jego rozdział za prędko zamknięto. Zanim zdążył się zacząć. Ale pojawia się błysk, brzęczenie ustaje, wszystko przez niego przenika. Nie ma łez ani bólu. Skończy tę beznadziejną drogę przez nic niewarte i marne życie. Tak po prostu, bez większych rozważań i skrupułów. By nie myśleć, by jutro mieć za sobą wszystko to, co niemiłe. By już nie musieć odpowiadać sobie na pytanie, dlaczego wszyscy nim gardzą. Natrętne obrazy,

jak pocięta i chaotycznie posklejana taśma filmowa, przesuwają się mu nieustannie przed oczami, nakładają się
na siebie, męcząc, nie dając chwili spokoju.

Żeby już nie stać tak w jednym miejscu nieruchomo,
bez możliwości uczynienia kroku w jedną czy w drugą
stronę, postanowił się ogolić. To nic, że już wszystko
postanowione, że droga prowadzi tylko w jednym kierunku, że klamka zapadła, że nie ma odwrotu. Opryskał
twarz wodą z miednicy. Spojrzał w zasnute pajęczyną
lustro. Jak na czterdzieści dziewięć lat, które skończył
w zeszłym tygodniu, prezentuje się umiarkowanie. Ani
śladu brzucha, skóra brązowa, bez trudu naprężona pierś.
Ale czy można porównać go do greckich posągów albo
rzymskich gladiatorów? W młodości uprawiał sporty,
był silny, zręczny, pełen życia i wigoru. Patrzy na siebie
obnażonego z szat. Zwraca się do swojej matki, myśli jego
biegną jakby do samych początków ciała, które już teraz
jest coraz bardziej niespójne. Ale przecież zachowuje się
zupełnie przewidywalnie, jak zawsze. To prawda, ma
ogromną ochotę zmienić miejsce pobytu, to nieuniknio-
ne, postanowione. Poczuł pod stopami rozpaloną ziemię.
W takich okolicznościach nigdy nie należy przeciągać
struny i w odpowiedniej chwili trzeba zniknąć. Poczuł
się osaczony. Z jednej strony groźba zwolnienia z pracy,
z drugiej choroba Róży i jej odejście. Z jednej strony
ci, z drugiej tamci… Oto idę, aby spełnić wolę waszą, jak
zawsze czynię to, co się wam podoba.

XI

Numer 47:

>Szczepan Kuk
>
>odszedł w wieku 53 lat

Muszę w końcu przestać uciekać, uciekać jak przestępca. Przecież na mojej ulicy nie ma przeszłości, wszystko jest teraźniejszością, nic się nie zmienia. Po co ciągle kłamać, grać komedię, na poczekaniu wymyślać jakieś historie pośród starych drewnianych domów. Na ulicy, gdzie tłum halabardników bez ornamentalnych dekoracji, bruk i podjazdy, ogrodzenia, światło i zieleń, jest nadzieja, że wszystko się jednak jakoś wyjaśni. Takich rzeczy nie można ukrywać w nieskończoność. Ludzie zaczną mówić. Jeśli ja tego nie opowiem, zrobią to inni. Ale ja bywałem bliżej, po przyjacielsku, miałem wgląd.

Przepycham się między nonkonformistami, którym wrodzona wrażliwość nie pozwala na zachwyt nad koślawymi freskami zdobiącymi nowoczesne bazyliki, pełne złota, blichtru, kiczu i tandety. Zmierzam prostą drogą w dół, by odwiedzić mojego przyjaciela Szczepana. Nasza znajomość trwa jakby od zawsze. Idę, bo wiem, że czeka na mnie kolejna uczta Baltazara. Jego życie jest jedną wielką ucztą, ucztą mającą dużo wspólnego z umieraniem.

To zaczęło się w Pyrzycach. Po ukończeniu szkoły średniej pojechaliśmy tam na plantację czereśni.

Rozległe sady, upał. Drzewa, ich gałęzie uginające się pod ciężarem dorodnych owoców, napęczniałych, krwawych i gorących od słońca. Ciągnące się w nieskończoność szpalery, aleje, szeregi skrzyń, skrzynek, trawników, krzewów i drzew. Zrywać, zrywać, czereśnia za czereśnią, z jednej gałęzi, z drugiej. Żeby jak najwięcej, żeby jak najszybciej. Tylko ja ze Szczepanem jakoś niespiesznie zataczaliśmy się od jednego drzewa do drugiego, kosztując największych owoców, dobierając je pieczołowicie, oglądając pod słońce, smakując, cmokając. Żarłoczność Szczepana widoczna jak na dłoni. Pożerał miąższ wraz z pestkami, napychał żołądek, słodycz zalepia mu usta, sok rozlewa się po jelitach, brzuch wzdyma się, gazy uchodzą odbytem. Jest krzątanina, kołowrót, mijamy dziewczyny i chłopców – wszyscy zajęci są pracą. Czereśnie zrywa się do metalowych pojemników uwieszonych na szyjach i spoczywających na piersiach. Pod niektórymi drzewami siedzą pracownicy zajęci istotą bytu, sensem wszechświata i swego w nim posłannictwa. Jest też opiekun, ekonom, który na nasz widok chyli się pod ciężarem mojej i Szczepana nieprzystosowalności do sadu, do tego, co my w nim wyrabiamy. Szczepan poklepał się po brzuchu i powiedział, że zawsze jest gotów rozbić w sadzie pięć namiotów. Nie było to zbyt grzeczne, nie wiem, co nas spotka po tym afroncie, ale Szczepan ani myśli się tym przejmować, podchodzi do kolejnych gałęzi i zrywa z nich dorodne czereśnie, które jakby same wpadają mu do ust. Po chwili biegnie do innej alejki, by w obliczu zastanej tam samotności móc sobie ulżyć. Zapewne to już wtedy jego naczynia krwionośne zaczęły ulegać uszkodzeniu, ale kto by się tym przejmował, gdy rozkosze dnia codziennego brały górę. Nawet mrowienie stóp nie było w stanie przerwać uczty, która chyba na dobre właśnie wówczas się zaczęła.

Po skończonej pracy wracaliśmy na kwaterę, gdzie nie tylko chlebem i solą żeśmy się raczyli. Chlaliśmy wódę ile wlezie, nie martwiąc się o porannego kaca.

– Skocz no, Maniek, po wódkę, już wiesz, gdzie ją w tym miasteczku kupić, w międzyczasie posmarujemy ci kromkę masłem i posolimy.

Życie na prowincji w dzisiejszych czasach nie jest łatwe. Radzę sobie z tym raz lepiej, raz gorzej, szamocząc się pośród bliskich mi ludzi. Wędruję z jednego miejsca do drugiego, od matki do żony, od knajpy do domu rodzinnego, upatrując w tej wędrówce sensu, który usprawiedliwiłby wszelkie nieporozumienia wynikające z mojego ciągłego zagubienia. Szczepan pomaga mi w tym, na ile może, na ile potrafi, nie zdając sobie sprawy, że sam przecież często się wścieka przy goleniu i zacina ze złości, mimo że jak dotąd raczej jest sprawny i odważny. Nikogo się nie boi, ani Stwórcy, ani Króla. To nonszalancja i chamstwo. Wiara w samego siebie, w wartość ciułanych pieniędzy, bez względu na swoje ułomności. Odwiedzam go często i bez zapowiedzi, odwołując się do innych motywacji niż

„sukces", „kariera", „majątek" czy „stabilizacja". Już nie opuszcza mnie myśl, kogo tam zastanę, czego dotknę, gdzie usiądę.

Wyciągnąłem portfel z kieszeni, by sprawdzić, ile mam pieniędzy przy sobie, czy w ogóle coś tam jeszcze znajdę, i jak zwykle okazało się, że zieje pustką. Przypomniałem sobie, że przecież niedawno ukryłem, zakopałem niedaleko stąd dość sporą ilość gotówki, zawiniątko. Muszę się pospieszyć, żeby zdążyć przed przyjazdem ostatniego pociągu, nie chcę się przy rampie natknąć na podróżnych, którzy mogliby mi przeszkodzić w poszukiwaniu skarbu. Koleinami wyrobionymi przez wozy drabiniaste jadę rowerem, omijam kałuże. Raz za razem koła wpadają do dołków pełnych wody. Nogawki mam już całe mokre. Na szczęście już niedaleko do upatrzonego miejsca. Tylko w jaki sposób wytrzasnę spod ziemi potrzebną mi forsę? Nie mam ze sobą żadnej łopatki, żadnego odpowiedniego ostrego narzędzia. Mnożą się przeszkody, coraz głębsze koleiny, a i ludzie jakby wyrastają spod ziemi. Słychać gwizd nadjeżdżającego pociągu. Zostawiłem rower przy rampie i ruszyłem w odwrotnym kierunku, bo stało się jasne, że nie uda mi się odkopać skarbu, że będzie musiał pozostać na swoim miejscu do następnego razu.

Koniec jezdni. Zatrzymałem się przy drzwiach domu Szczepana. Jeszcze raz zajrzałem do portfela i o dziwo znalazłem w nim nowiutkie banknoty dwustuzłotowe, stuzłotowe, nawet jakiegoś funta zauważyłem, miałem jeszcze przeliczyć, ile jest w zwitku, lecz usłyszałem kroki.

Nie chciałem, by ktoś mnie nakrył z gotówką. Jedno, co może wyjść z tego na dobre, to to, że Szczepan nie będzie mógł mieć do mnie pretensji. Za każdym razem gdy przychodzę do niego bez grosza, wyzywa mnie od darmozjadów, pasożytów, pijawek. A kiedy wreszcie coś postawię, czymś poczęstuję, mówi:

– Flaszkę wódki byś przyniósł, gołąbki, te zawijane przez matkę.

Zapukałem, zaraz Szczepan otwiera, mówi, że ma dla mnie niespodziankę. Eulalia z dziećmi jest u niego i czeka na mnie, bo wreszcie, po długiej przerwie chce się ze mną kochać. Dziećmi mam się nie przejmować, one maleńkie, jeszcze niczego nie rozumieją. Szczepan zostawił mnie z Eulalią, a sam poszedł do kuchni, bo ucztę musi przygotować jak się patrzy. U Szczepka jedzenia i picia nigdy nie brakuje, bo on nie z tych, co to nie orzą i nie sieją. Umie zarabiać pieniądze, umie oszczędzać – biznesmen. Nikogo się nie boi, zdrowie u niego jakie było, takie jest.

– Nic się nie dzieje, nic mnie nie boli – powtarza, chociaż niekiedy widzę, jak robi sobie zastrzyk w ukryciu. – A jebać to.

Eulalia umoszczona na sofie gładzi moje ramię. Uda połyskują potem, jakieś zmokłe, oślizgłe, łydki wygolone, stopy pobrużdżone, żyły nabrzmiałe. Całe ciało przyczajone do skoku. Usiadłem obok i otarłem się o nią. Po coś nas tutaj zaproszono? Gdyby nie obecność córek Eulalii, pewnie doszłoby do zbliżenia, ale młodsza wskoczyła mamie na kolana i tuli się, i szepcze do ucha, że chce już do domu, że nie podoba się jej tutaj. Chciałaby się pobawić, tylko nie ma z kim. Starsza siedzi naprzeciw i dziwnie oczami mruga, jakby perskie oko do mnie puszcza, żebym z nią na stronę się udał. Nic sobie z tego nie robi, że matka obok głaska udo tak, jakby moje głaskała. Zdaje się mówić coś o starszeństwie, o pierwszeństwie. Nawet nie wiem, jak to się stało, ale leżę pośrodku, matka z córką zajmują się mną, bawią jak jakimś manekinem, jakbym był ze sklepu i nigdy nie miał swojego domu. Pełne wyższości wobec mnie, zagubione między moimi udami. Zapach kadzidełek, parzonej kawy i gorzałki z kłoskiem nie chce przepędzić woni wydzielin ciał. Obraz nie chce umknąć, rozpłynąć się. Dopiero jak Szczepciu wrócił, coś drgnęło. No bo się nie pierdoli, tylko od razu mnie pyta, na co to tak patrzę, że też nie znudzi mi się oglądanie tej golizny, tego ciągłego dupczenia się, przy tym zapomina o tym, że to on ciągle ogląda pornografię na zmianę z meczami piłki nożnej. Toteż poprosił mnie, a gdzież tam poprosił – rozkazał zmienić obraz, żeby trybuny zawyły, a nie te suki, dziwki, wszystkie takie same. Okropny hałas. Przejrzyste czyste gwizdy, wolne od wszystkiego, zagłuszają komentarz: „Źle ułożył stopę do podania". Zawsze to samo, te krosy, to rozbieganie po boisku. Szczepan potrafi kilka razy ten sam mecz oglądać i się zachwycać. A to taka monotonia. Piłka od nogi do nogi, zagranie na prawą stronę, rozpoczynanie od swojej bramki, strata piłki, nieodpowiednie zachowanie w grze obronnej, zaczynają przyspieszać, rzut rożny, świetny wślizg, świetna interwencja, powalczył w powietrzu, w takim zagęszczeniu, moment nieuwagi i znowu bramka.

Na stole już półmisek z zakąskami, jest szynka, jest boczek, są też potrawy z grilla ociekające tłuszczem. Szczepan nie zważa na dietę, na rygorystyczne zalecenia lekarza, a co on mu będzie, kurwa, radził, dostaje pieniądze, to niech się nie wtrąca. Przepije się wódą, zapali papierosa, jakoś to będzie, grunt, żeby kasa się zgadzała i żeby nikt mu nie podskoczył, bo jest we wszystkim najlepszy.

– No, co tam, Waldek, częstuj się, napij, no, nasze zdrowie.

Szczepan wprawia mnie w zachwyt, ale nie ma w nim nic takiego, co byłoby tego warte. Kocham chaos, jest nieoczekiwanie zmienny, nie można go zniszczyć – jest odmiennością Szczepka, jego przeciwieństwem. Szczepan jest tak hałaśliwy, że niszczy go najlżejszy szmer. Jak grot przecina go moje słowo, jak taran miażdży me milczenie. Ale on zawsze swoje, wszystko wie lepiej, mnie uważa za ignoranta, twierdzi, że nie ma we mnie pokory, że jestem zarozumiały i przez to nikt mnie nie lubi. Jak to łatwo oceniać innych, nie siebie. Ale on uważa, że jestem jego przyjacielem, więc może mi mówić wszystko, co mu ślina na język przyniesie, jemu wolno, bo jak nie on, to kto może być wobec mnie aż tak szczery.

Posłusznie i wygodnie rozpieram się w fotelu. Szczepan wyszedł po coś do kuchni. Ciągła teraźniejszość, którą można w niefrasobliwy sposób roztrwonić i porzucić.

Nad czym tu się zastanawiać. Na stole żarcie, na parapecie medykamenty. Tu półmiski z mięsem, tam fiolki z tabletkami. Tu smażona karkówka ociekająca tłuszczem, tam strzykawka, a wszystko to przed oczami przechodzi w jakimś fantastycznym korowodzie. Staram się to posegregować, powiązać w jakąś logiczną całość, wysnuć wnioski z nazw, z wyrazów, z reakcji jego organizmu na te substancje. Nie bardzo mi się to jednak udaje. W głowie mam kompletny chaos i nie wiem, od czego zacząć. Widać nie musiałem się wysilać, bo wszedł Szczepek, dając do zrozumienia, co jest dla niego najbardziej pożyteczne.

– Człowiek musi coś zjeść, z pustym żołądkiem daleko nie zajedziesz. A to ci jeszcze powiem, że w mojej robocie najważniejszy jest spokój. Tak. Spokój i jeszcze raz spokój. *Langsam, langsam, aber sicher, tisze jedziesz, dalsze budziesz.* Tak od razu nie przeskoczysz.

– A to my gdzieś się wybieramy, co?

– A coś ty myślał, że będziemy tylko tak siedzieć, przecież mam dzisiaj wolne, przejedziemy się moją nową maszyną.

– Po pijaku?

– A kto nam podskoczy? Nie bój się, przecież nie pierwszy raz, stało ci się coś?

Jedziemy, droga zostaje za nami. Nie mam zielonego pojęcia dokąd.

– A co cię to obchodzi, jak dojedziemy, to zobaczysz, źle masz ze mną? Perfumy wiozę jednej takiej dziwce, zamówiła.

– A to jesteś właścicielem manufaktury czy komiwojażerem?

– Każdy grosz się liczy, dziwka jest ładna, zobaczysz, może ci da?

– Na co ci tyle tych pieniędzy, przecież z tymi, które masz, nie wiesz, co zrobić.

– A ty tylko kosa i sierp, tobie nigdy nic nie trzeba, wiesz, za kogo cię mają, za nędzarza, gdyby nie ja, to nikt by ci ręki nie podał.

– Stara śpiewka.

Toczymy się monotonnie, rozciągliwa życiodajna przestrzeń zostaje za nami. To, co przed nami, może okazać się jałowe, bezludne, groźne. Szczepan tak bardzo zgadza się ze sobą, że chce zniszczyć to, co jest idealne. Chce zniszczyć to, czego nie umie pojąć, więc chce, by ludzi podobnych do niego było jak najmniej. Chce mieć nad nimi przewagę. A gdy przyłapuje się na tym, że nic od niego nie zależy, wyżywa się na mnie. Twierdzi, że jestem beznadziejny i do niczego się nie nadaję. Nie można mieć kontroli nad miłością, nad swoim wzrostem, długością palców, kształtem ust. Nade mną też nie uda mu się zapanować, niedoczekanie jego. To takie proste, a jednocześnie takie trudne, bo w tym pędzie do zapanowania nad innymi traci się siebie. Szczepan chce więcej i więcej, twierdząc przy tym, że wszyscy jedzą mu z ręki, że każdego ma w kieszeni, bo tylko pieniądze się liczą, bo jak się ma kasę, to wszystko można, wszystko jest w zasięgu wzroku.

– Z drogi śledzie, bo król jedzie! – krzyknął Szczepan.

– Uwaga, uwaga, bo jedzie łamaga – wyrwało mi się.

Zatrzymaliśmy się i kazał mi wypierdalać.

– Jak wrócisz do domu na piechotę, to może zmądrzejesz.

Gubię się. Za każdym zakrętem kryje się kilka dróg, każda z nich może się okazać niewłaściwa. Nie lubię takich pól bitewnych. Jako że nie umiem wybrać, moim żywiołem staje się profanacja, szarganie świętości. Ścieżki przegradzane żywopłotem. Cierniste, kaleczące, mordercze. Nie zależy mi na czasie. Mam go mnóstwo. Źdźbła trawy skrzą się do siebie, wiatr oprzędza ulicę, szkląc oczy przechodniów, rozwiewając nieskazitelne fryzury starszych pań. Zupełnie nic sobie z tego nie robię. Ileż to już razy znajduję się w tej samej sytuacji, na pierwszym planie, spuszczony z uwięzi. Przywołuję przeszłość. Jedna noga, druga, same wyrywają się do przodu, kroki szybsze, równe, trudno mi nad tym marszem zapanować. A dokąd to, a po co? Jak zwykle do Szczepana, no bo gdzie indziej. Szczepan przywołuje mnie do siebie jakby z zaświatów. Przeszedłem przez kuchnię. Jego siostra nawet mnie nie zauważyła. Zawsze tak samo, nawet nie muszę pukać. Kiedy bym się nie pojawił, Szczepan już czeka na mnie. Nie oglądając się na boki, pociągnąłem za złotą klamkę i zaraz moim oczom ukazało się łóżko. Szczepan siedzi na nim, patrzy przed siebie na obraz, kilka obrazów, scen, ujęć. Przedstawiają dziesiątki odrębnych historii. Tych przerażających, pełnych ogromnych pokładów śmiechu, seksu, łez, wszystkiego. Słyszę głosy dochodzące z wnętrza obrazów, odgłosy uprawianej, udawanej miłości, jakieś pornograficzne wygibasy, jęki, to całe seksualne obrzydlistwo. Sperma tryska obficie, zatykając dziewczynom usta. Ale jak tylko stanąłem na progu, kobiece wzdychania zamilkły i dało się słyszeć gwizdy, krzyki, odgłosy stadionu. Komentarz jak zwykle adekwatny do tego, co widać na ekranie: „...źle przyłożył stopę do podania, oto zagranie na prawą stronę, zaczynają przyspieszać, stracił piłkę, rozpocznie od swojej bramki, nieodpowiedzialne zachowanie w grze obronnej, rzut rożny, świetny wślizg, świetna interwencja w powietrzu, w takim zagęszczeniu...". Szczepan patrzy na mecz, nie wiadomo który raz na ten sam pojedynek – tych powtórek jest co niemiara. Siedzi i patrzy, jakby już bez skrzydeł, jakby latać mu się odechciało, skręca go coś w środku, zapewne boli. Bólem przeżarty. To nie jest tak, że nie widzi zmian w swoim ciele. Widzi. Nie sposób przecież nie zauważyć wiotczenia mięśni, wystających żeber. Zasadniczo wszyscy jesteśmy jak wino, tyle że jedni z wiekiem nabierają wyrazistego smaku, a inni kwaśnieją.

Szczepan nie chce mówić o swoim zdrowiu, udaje, że nic się nie dzieje, że wszystko jest jak dawniej. Są siły, jest moc. Najbardziej zły jest na ludzi, którzy pożyczyli od niego pieniądze i nie chcą oddać w terminie. To go boli na zewnątrz, o tym chce mówić, na to narzekać. Że w chuja go robią, okłamują.

– Ludzie są niesłowni. Co oni sobie myślą, że jestem jakąś instytucją charytatywną? Że mam tylko zapierdalać, a inni będą mnie wykorzystywać, doić mnie, a co to ja, dojna krowa jestem?

– Dałbyś już sobie spokój z ciągłym zarabianiem pieniędzy, masz ich już tak dużo, że teraz powinieneś o sobie pomyśleć, o swoim zdrowiu, jak o nie zadbać, żeby jeszcze trochę się pobawić w życiu.

– Ty mnie nie będziesz uczył, co dla mnie dobre, dziadzie jeden.

Coraz więcej wokół Szczepana tabletek, mikstur, flakonów z lekarstwami, buteleczek. Leżą wszędzie porozrzucane: na stoliku, pod nim, na parapetach, w kątach pokoju, na szafkach i w nich. On jeden wie, jakie są zalecenia lekarzy. Uczty stają się coraz rzadsze i mniej obfite, coraz mniej mięs, wędlin, coraz więcej warzyw. Broń Boże cukru, tłuszczów i białka w nadmiarze. Wódki też jakby ubywało, barek pustoszeje, goście rzadko zaglądają do Szczepana. Nie chcą patrzeć, jak chudnie, jak się zmienia. Jeszcze tylko ci, co potrzebują grosz pożyczyć, przychodzą i patrzą, jak mizernieje. Jego zawsze pełna życia twarz teraz wyraża obojętność. Zupełnie spokojny, pogodzony z losem. Odrzucił jakąkolwiek myśl o walce. Co z tego, że jeszcze potrafi pracować, że pieniądze nadal umie zarabiać, skoro ani przez chwilę nie chce myśleć o tym, że czeka go życie na wózku inwalidzkim. Utrata męskości jest dla niego zagładą. Po co żyć w kalectwie? Zawsze lubił być kimś. A tu masz. Serce chce mu wyskoczyć z piersi. Mówię mu, że wezwę pogotowie, bo nie wiadomo, jak taka arytmia może się skończyć. Ale on nie, że samo przejdzie, musi przejść. A nawet jeśli nie, to co? Jakoś trzeba umrzeć. Nagły ból. Czy już trzeba podziękować za życie?

Chcesz krzyczeć, nie myśleć o chorobie, ale jesteś w coraz gorszym położeniu. Jest tak źle, że znowu zaczynasz sobie kłaść do głowy to, co kiedyś. Zarabianie pieniędzy, gonitwa za każdym groszem. Myślisz, że dojście do bogactwa będzie swojego rodzaju tryumfem, pokonaniem wszelkich cielesnych dolegliwości. Przestajesz patrzeć na wiotczejące mięśnie, na puchnące stopy. Bagatelizujesz poziom cukru we krwi, arytmię mięśnia sercowego. Ciągle jeszcze nie odmawiasz sobie tłustego jedzenia, picia mocnych alkoholi. Nie omijasz restauracji, przyjęć i innych zakrapianych imprez. W obawie, że twoja tajemnica może wyjść na jaw, chcesz, by wszyscy widzieli, że nic ci nie jest, że jesteś nie do zdarcia. Żadnej bezsilności przy ludziach.

Każesz mi dopić kieliszek, bo już czas na nas, musimy się ruszyć, od stania w miejscu niejeden już zginął.

– Dawaj, Waldek, odwiedzimy Eulalię. Kto by chciał przesiadywać głupio w domu, skoro ma do dyspozycji otchłań.

…Zawsze to samo. Bez pamięci dokądś wędrować, szukać wiatru w polu, błądzić, by o wszystkim zapomnieć, by nie myśleć.

– A pierdol to, Waldek, co się będziemy przejmować.

Jak się nie przejmować, gdy trudno kolejny wziąć zakręt, gdy sen przychodzi, dopada znienacka. Ani jednej chmurki na niebie, oślepiające światło na horyzoncie, jakby żółta wstęga. Po chwili zrobiło się ciemno. Nie zauważyłem nawet, kiedy nadciągnęły granatowe kłębiaste chmury, zabębnił deszcz. Rozpadało się równie nagle, widoczność się pogorszyła. Zagrzmiało. Podskoczyłem na swoim miejscu.

– Wszystko będzie dobrze, będzie dobrze… – wymamrotał Szczepan.

Czuję, jak pętla zaciska się coraz mocniej na mojej szyi. W jakim kierunku podążamy? Czy rzeczywiście wpływ na to mają wzloty i upadki Golfsztromu, oscylacja północnoatlantycka, oscylacja arktyczna, fale Rossby'ego, plamy na Słońcu?

– Nie lepiej zawrócić, póki nie jest za późno? – pytam jak najbardziej wyciszonym głosem.

Chcę tylko jednego, by ta niewróżąca nic dobrego podróż wreszcie się skończyła. By nikt nie podkładał mi nogi. Żeby Szczepan się otrząsnął, wziął za siebie, żeby nic mu się nie stało. W każdej chwili może zasnąć. Nawet chciałem wspomnieć o naszym ostatnim grzybobraniu w lasach Jankowej, o jego wspaniałych borowikach szlachetnych, które uważa za pierwszą ligę, nigdy nie schyla się po podgrzybki czy jakieś maślaki lub inne psiuchy. Ale nagle zatrzymaliśmy się w szczerym polu i słyszę:

– Jak ci, Waldek, coś nie pasuje, to wypierdalaj, droga wolna.

Gdy tak idę w dół ulicą Grunwaldzką, w zamyśleniu pocieram dłonią kark. Czuję się nieswojo. Mam ogromną ochotę powiedzieć Szczepanowi, co myślę. Ale skąd wziąć na to odwagę? Człowiek w obłędnym stanie ducha może zdobyć się na jakieś zupełnie nieobliczalne w skutkach posunięcie. A jeżeli sprawa wygląda zupełnie inaczej? Jeżeli całe moje rozumowanie okaże się w rezultacie oparte na fałszywych przesłankach? To co wtedy? Czy powinienem robić Szczepanowi jakiekolwiek nadzieje?

Idąc przed siebie we właściwym kierunku, dobrnąłem na miejsce i zabrałem się do sforsowania drzwi. Nie było to łatwe: nikt nie odpowiadał na dzwonek, na pukanie. Nacisnąłem klamkę, uzyskanie przewagi nad nią to zawsze był nie lada wyczyn. Tym razem udało się bez problemów. W pokoju jeszcze większy nieporządek, niż ostatnio widziałem. Zdziwiła mnie zalegająca cisza, nie słychać jęków kobiet, sapania, odgłosów orgazmów. Trybuny stadionów piłkarskich także opustoszałe, żadnych wyć, gwizdów, komentarzy. Wszędzie walają się różne części garderoby, opakowania po lekarstwach, drobne pieniądze, banknoty. Wśród nich Pierrot, Arlekiny i Kolombina, Murzyniątka, ślicznotki, Don Kichot i niezwykłe ptaki. Niemal wszystko odziane w jakieś brzydkie, wymyślne, czasem zniekształcające sylwetkę stroje, ni to halki, ni to serwety, źle skrojone, niewygodne, karykaturalne, w większości naprawdę ohydne. Mdła woń przepoconej pościeli. Na łóżku leży Szczepan, odwrócony twarzą do ściany. Jego ciało wygląda jak orientalny fresk w gotyckiej kaplicy. Przebite ręce, przebite nogi, kości policzone. Cały Ten człowiek w największym napięciu: jego szkielet, mięśnie, system nerwowy, każdy organ, każda komórka.

XII

Numer 61:

Emil Sebond

odszedł w wieku 69 lat

Chusteczka do nosa, dowód osobisty, prawo jazdy, kalendarz kieszonkowy, długopis, pudełko zapałek, carmeny – to wszystko, co ma przy sobie. Zapach dymu. Na ruszcie skwierczą kiełbaski, karkówka, boczek. Taksik nalewa wódkę do kieliszków. Jego siostra rozkłada na stole talerzyki z sałatką pomidorową. Słabe podmuchy wiatru zabawiają się dymem tak, że jego zapach kręci w nosach. Wszyscy siedzą w altanie pośród barwnej przyrody.

Waldek idzie do Taksika w odwiedziny, niesie ze sobą w zanadrzu wiadomość, nie powinno się przychodzić w gości z gołymi rękami. Idzie więc, jakby spuszczony z uwięzi, jakby poza czasem. Ile to już razy tak szedł krokiem dookolnym. Dzisiaj też łączą mu się jakieś momenty z przeszłości z momentem teraźniejszości. Gdyby go zapytać, jaki mamy dzień, nie umiałby powiedzieć.

– O, Waldemar przyszedł, chodź... siadaj... czego się napijesz? – rzekł chrypiącym gardłowym głosem Taksik.

– No nie wiem, może sobie najpierw zapalę.

– W takim razie częstuj się, czym chata bogata.

Z oparć krzeseł spływa nieokreślonej barwy wieczór. Trzeba zapalić świece, dołożyć drwa do ognia. Ktoś ziewnął, splunął.

Taksik zapytał siedzącego wygodnie na ławce Tadeusza, co tam w przetwórni słychać, jak produkcja.

– No, teraz ogórki wekujemy, i pomidory – odpowiedział, łykając resztkę kawy. – A u ciebie?

Taksik sięgnął po papierosa, potarł zapałkę o trzaskę i z wolna wypuścił przez nos kłąb dymu.

– Mam tego wszystkiego ponad siły, mówię ci… Bądź, człowieku, dobry, temu pożycz, tamtemu, a oddać nie ma kto.

– Wielkie rzeczy!

– A ty, Waldek, co tam w piekarni?

– Jakoś leci, bez dzieci, trzeba ludzi dobrze pilnować, bo kradną, deputatów im nie wystarcza, chcieliby nabrać nie wiadomo ile. A przecież mąki w magazynie nie przybywa, a co miesiąc rozliczyć się trzeba.

– Tak to jest – rzekł Tadeusz, barczysty ociężały mężczyzna o ogromnym brzuchu i potężnym przyrodzeniu.

– Zaraz powinien pojawić się Juliusz, od rana się zapowiadał, wieśniak jeden, jastrzębiak czerwony – powiedział Taksik, wydłubując językiem spomiędzy zębów kawałki tłustej karkówki i rozgniatając je o podniebienie.

Po takiej krótkiej ekspozycji Waldemar już tylko zapadł się w siebie, siedział bez ruchu i wychylał podstawiane mu kieliszki wódki. Oczywiście wszystkie słowa gdzieś tam w nim osiadały, ale jakoś nie czyniły mu przyjemności, ale równocześnie niczego złego. Ta obojętność stawała się mniej uciążliwa po każdym kolejnym kieliszku. Z obrzydzeniem odsuwał od siebie wszelkie jedzenie, czym oczywiście wzbudzał ogólne niezadowolenie biesiadników. Najbardziej zły był gospodarz.

– Czemu nic nie jesz, w domu tego nie masz, weź chociaż skosztuj, nie wybrzydzaj, nie graj w chuja, zawsze musisz cudować...

Wódka paliła go w gardle. Wiedział, że ma coś do powiedzenia, że chce im przekazać coś ważnego, bo po to tutaj dzisiaj przyszedł. Przecież nie po to, żeby pić i jeść. Jest posłannikiem, niczym Hermes, o śmierci nie każdy umie mówić.

Tadeusz z Taksikiem ramię w ramię wznoszą kieliszki, żłopią wódkę, gwałtownie przechylają głowy do tyłu.

Na blacie stołu usiadła mucha, czyści nóżkami skrzydełka. Jakby nie bała się nikogo podczas wieczornej toalety. Nie obchodzi jej bowiem los najbliższych i jej własny, walka dobra ze złem, prawdziwe oblicze rzeczy, kataklizm końca świata. Dłoń Tadeusza uniosła się nad muchą i spadła na nią.

– Nic na to nie można poradzić, że każdy chce więcej pieniędzy, potrzebuje więcej pieniędzy, niż mógłby zarobić uczciwie... – zaczął Tadeusz.

– Dlatego trzeba na lewo, te ciągłe kombinacje, pojebane podatki – rzekł Taksik.

A jego siostra postawiła przed nim wielki półmisek z różnego rodzaju wędlinami.

– Przynieś no jeszcze ten słoik z marynowanymi prawdziwkami, niech chłopaki skosztują... Niedawno nazbierałem, świeżutkie, żaden nie był robaczywy – chwali się Taksik.

– Halo! Jak się macie? Nie przeszkadzam? – Głos roześmiany, melodyjny.

Przez bramkę wszedł Juliusz i zatrzymał się przy wejściu do altany. Cóż za fizjonomia, czerwone policzki, proste krótkie blond włosy, kulfoniasty nos.

– No co tam, dlaczego się spóźniłeś, czekamy tu na ciebie i pijemy, siadaj, masz nalane, nie opierdalaj się.

– Ha, ha, to już wieczór, ciepła ta wódka, ha, ha.

– Nie pierdol, tylko pij, przegryź coś, Tadeusz swoich ogórków przywiózł, dobrze ukiszone.

– Ha, ha, ha, ha, karkóweczka, widzę, świeżutka, o, i kaszanka, boczek... ha, ha.

– Ale po co tak głośno, Julku.

– O, wszyscy myślicie, żem pijany, to nie moja wina, byłem u Adama, flaszkę połknęliśmy migiem, Adam zajebany, poszedł spać... – Przechylił się przez stół, chuchając na Waldemara przykrym wyziewem wódki.

Wszystko było jakby w ruchu, mknęło przed siebie, bez opamiętania; kręcące się drzwi obrotowe. Waldemar patrzył na Taksika, Taksik na Tadeusza, ten zaś spoglądał na szerokie wargi Juliusza.

– Chce mi się lać, idę się wysikać, lanie mnie wzięło. – Waldemar podniósł się z krzesła.

– Przecież wiesz, którędy do kibla.

– Idę.

Przechodząc przez kuchnię, przystanął na chwilę. Siostra Taksika z żoną Tadeusza popijają kawkę, przegryzając babką piaskową.

– O, Waldziu, gdzieś się wybrał?

– A dokąd to pan idziesz? – Żona Tadeusza powtórzyła pytanie.

– Wysikać się.

Gdy zamknął drzwi do ubikacji, siostra Taksika rzekła do żony Tadeusza, że nie lubi Waldka.

– Przychodzi do brata i go rozpija, ta menda, pijawka jakaś. Długo nie trzeba czekać, ledwo wróci z pracy, a on już jest, zjawia się nagle, jakby cały czas czekał pod drzwiami.

– Lubią się, przecież są kumplami, przyjaźnią się, to widać, nie ma co się przejmować… posłuchaj tego: pijesz szklankę ciepłej wody z cytryną i octem jabłkowym, po czym zabierasz się do robienia soku z jarmużu, czerwonej papryki i selera naciowego…

– A czym się myje włosy?

– Włosy myjesz sodą oczyszczoną, a usta płuczesz olejem kokosowym…

– A powiedz mi, czy ja naprawdę muszę się malować? Denerwują mnie te wszystkie pudełeczka, te pudry, róże i cienie, czy nie lepiej rozłożyć je wszystkie na czynniki pierwsze, wydłubać lusterko, usunąć sprężynkę...

– O, Waldek. – Żona Tadeusza uczepiła się jego koszuli. – W altanie wesoło, co, wracasz do nich? Nie posiedzisz z nami? Poczęstuj się babką.

– Nie, dziękuję, dobrze wiem, że mnie nie lubicie, to po co te ceregiele... te wszystkie słodkie napoje, ten cukier, tłuszcz!

– O, Waldek, gdzieś ty, kurwa był tyle czasu... ha, ha, chodź, napij się, masz już nalane, ha, ha... – zawołał Juliusz.

Wódka zapiekła go w przełyk ciepłem i wonią. Przegryzł kiszonym ogórkiem. Zaśmiał się nieśmiało. Czuł, że za jego plecami rozciąga się jakieś pole bitewne. Naprężył mięśnie ramion.

– Kurwa, nie ten chuj, co nie wypił, ale ten, co nie nalał, ha, ha...

– Następnym razem się poprawię – szepnął Waldek.

– A pamiętasz, jak byliśmy na Ukrainie? – Taksik podał Waldkowi paczkę papierosów.

– Pewnie, że pamiętam, aczkolwiek ja nie dbałem o pieniądze, chciałem tylko ujrzeć rozległe Podole.

– Tylko jak się ma pieniądze, można robić, co się chce... i co myśmy w końcu stamtąd przywieźli?

– Kłykciny kończyste, dobrze pamiętam, bo nie mogłem się tego kalafiora przez kilka tygodni pozbyć. – Głos Waldka zabrzmiał błogo.

Wiatr zakręcił powietrzem wokół altany. Juliusz zaśmiał się po swojemu do rozpuku, melodia grana gdzieś w dali z każdą nutą przybierała na sile. Biesiadnicy głośno rozmawiają. Jedzą pieczone i smażone. To czas rozmów i zabawy. Można nawet zatańczyć, ale niech tańczą tylko ci, co chcą. Niech tańczy ten, kto ma na to ochotę. Żona Tadeusza bez wahania ruszyła przed siebie.

– Dzisiaj bądźmy weseli, używajmy dzisiaj do woli!

– Usłyszysz tam pięć basów, dwanaście dyszkantów, sześć altów, osiem tenorów, a od tych melodii tylko usnąć na stole.

Na co Tadeusz:

– Jakem się zalicoł, to kluski na kluski, jakem się ożenił, to żur jałowiuśki.

Na co Taksik mówi:

– Pieniądze to jest coś najłatwiejszego do zdobycia.

Drewniany dziad z workiem na plecach stoi w ogrodzie i potakuje. Dziurawy kapelusz, fajka w ustach. Zdaje się, że dopiero co przybył na biesiadę, chce zasiąść przy stole i napić się czegoś mocniejszego.

A Tadeusz, odstawiwszy pusty kieliszek, jak za dotknięciem czarodziejskiej różdżki mówi:

– Ja jestem człowiekiem pracy, ma ktoś do mnie szanse, jest ktoś lepszy ode mnie, no co, kurwa, nikt nie protestuje... kto to pije, gdzie kieliszek?

Ogień zaczął się ledwie tlić. Jeśli zaraz ktoś nie dołoży szczapek, niechybnie zgaśnie. Mocna wódka z pewnością może zwalić człowieka z nóg.

Taksik uniósł głowę.

– Niech ktoś dołoży do ognia. – Jego głos rozległ się po altanie.

Żona Tadeusza usiadła, zaśmiała się i przetarła oczy obrzękłą prawicą. Siostra Taksika od czasu do czasu smaruje masłem maleńkie kromki chleba i wkłada je do ust. Waldek siedzi samotnie w kącie i patrzy na swój kieliszek z wódką. Musi jak najszybciej się napić, gdyż zaraz zacznie się dochodzenie, kto przetrzymuje kolejkę. Ale zanim to zrobi, przez ściągnięte w trąbkę usta wypuścił kłąb dymu papierosowego, który wije się błękitnawo ponad ich głowami.

– To na zdrowie, niech się nam… – Waldek przechylił kieliszek i natychmiast napełnił go wódką ze stojącej obok flaszki.

Taksik, sięgając do brzegu stołu po kieliszek, potrącił go ręką. Skorupki szkła rozsypały się dookoła. Tadeusz westchnął.

– Cała moja przyszłość jest dla mnie jasna… Ale we mnie tkwi coś więcej. – Spojrzał na swoją żonę, by zwrócić uwagę: – Przez całe życie robiłaś to, co chciałaś.

– Możliwe…

Taksik poprosił siostrę, by przyniosła nowy kieliszek. A gdy zobaczył Zygmunta, który nie wiadomo skąd się wziął przy stole ze swoimi pożółkłymi od tytoniu palcami, kazał talerz mu podać, by mógł sobie coś smacznego nałożyć.

– Nie będę nic jadł, zapaliłbym, palić mi się chce jak nie wiem.

– Ale tobie nie wolno palić.

– Co nie wolno, dajcie zapalić, to powiem wam nowinę.

Taksik podał mu paczkę papierosów.

– Ogień masz?

– Mam… Emil Sebond umarł, w szpitalu, rano wzięli go nieprzytomnego z domu… – Nagle krew nabiegła Zygmuntowi do twarzy, zaczął dyszeć i zaciągnął się dymem.

– A kto by się tam przejmował Emilem, kto go lubił? Lepiej nam zatańcz, Zygmuś, bawić się trzeba.

Waldek mrugnął i machnął ręką. Przecież to on tutaj przyszedł z tą nowiną, on miał opowiedzieć, jak umarł Emil, on chciał być posłańcem śmierci. A teraz wszystko na nic. Zygmunt zrobił z tego nieszczęścia farsę. Emil rano przestawiał meble w domu, pomagał wnukowi się urządzić. Kto to wiedział, że jego serce aż tak słabe, że nie dało sobie rady z najmniejszym wysiłkiem? Od lat na rencie, kiedyś pracował na Śląsku.

– I pomyśleć, że prawie codziennie mijałem się z Emilem, w kolejkach staliśmy obok siebie, nigdy słowa z nim nie zamieniłem – rzekł Waldek.

– A kto go lubił, on był jakiś jebnięty, ale każdego szkoda – powiedział Tadeusz.

Niebo zaciągnęło się chmurami, niewiele widoczny Zygmunt przenika przez dookolną ciemność upstrzoną żarzącymi się węgielkami ogniska. W dali łuna rozpływa się w drżącym rozgrzanym powietrzu. Czegoś takiego nie grali do tej pory w żadnym kinie.

– W życiu bym nie pomyślał, że coś mu dolegało. Chodził sobie, przechadzał się jak młodzieniaszek w krótkich spodenkach...

– A daj spokój, Waldemar, wszystkich nas to czeka... Chodź, Zygmunt, przegryź coś, nie wygłupiaj się już, siostra poszła po herbatę, zaraz ci przyniesie.

– Nie chce mi się jeść, zapaliłbym, palić mi się chce.

– Przecież przed chwilą paliłeś, pojebało cię, nie wolno ci palić, zjedz kiełbaskę, sam kupiłem w Bobowej.

Żona Tadeusza powiedziała, że późno się już robi, pora się rozejść, tym bardziej że komary zaczynają ciąć, rano trzeba wstać do pracy. Dosyć tego picia, przecież można się trochę napić, a nie tak do upadłego, do upodlenia.

Pijany jak bela Juliusz poruszył się i zaczął śpiewać:

Skacze Józka do pułapu,
a cyckami chlapu, chlapu.
Podskoczyła, nadęła się,
chciała pierdnąć, zesrała się.

– A co to, kurwa, nie ma już nic do picia?

Do sklepu na dole,
przywieźli jabole.
Nie wyjdę, nie wyjdę,
aż się napierdolę.

– Kończymy jasełka – czknął Taksik.

Waldek rozejrzał się dookoła. Widzi Taksika, Tadeusza, wszystko jakby w krzywym zwierciadle. Emil przyszedł mu na myśl, jego ciało leżące pośród mebli, jak do krzyża przybite. Ubezwładnione w tej straszliwej pozycji. Zapewne przed samą śmiercią nie wzywał nikogo. Bo gdyby miał krztę świadomości, mógłby zawołać: „Czemu wszyscy mnie opuścili?". Rozpięte ramiona z najwyższym wysiłkiem ogarniają całe mieszkanie, po którym już nie będzie mógł się poruszać, po prostu w nim być.

Teraz już tylko do domu wrócić. Waldemar chce się wymknąć niepostrzeżenie, żeby nie było nawoływania do strzemiennego. Wyjść po angielsku. Dosyć już tych różnych słów i tworzenia nowych światów. Puste szklanki, kieliszki, dogasający ogień, talerze ociekające tłuszczem są jak stare pawie pióra albo kilka kolorowych kamyków, które wyglądają, jakby za chwilę miały polać się z nich łzy. Nie ma co rzeźbić powtarzalnych rysów twarzy, mierzwić i tak skołtunionych włosów, kiedy tak siedzi się przy stole. Można najwyżej do przegubów rąk, do kolan doczepić sznurki i zaciągnąć się do spania. Ach, zostawić to całe wymyślanie historii. Po drugiej stronie domu jest bramka prowadząca bezpośrednio na ulicę. Waldek zwarty, sprężony do skoku, gotów do ucieczki, precyzja, z początku trudności, ale jest przecież plan działania, niech pozostali miotają się w sieci. Więc dalej, naprzód!

– Waldek, nie spierdalaj, napijemy się jeszcze, Juliusz, rusz się do barku po flaszkę.

– Daj spokój, Taksik, późno już.

– Waldek, wracaj, chuju, zawsze spierdalasz przed czasem.

Niezwykła, aksamitna wręcz miękkość mroku, i to w różnych odcieniach, ale także głosy krzyczące, nie mówiące. Poza tym ogromna swoboda, lekkość, a przede wszystkim potoki przekleństw w głowie. Przy bramce stoi wspaniały Staś. Waldek nie może zrozumieć, gdzie wnuk nauczył się tak stać. Wziął go na ręce i ruszyli jezdnią prosto przed siebie. W ciemnościach zawsze pozostaje coś do odkrycia, oświetlone pobocza są dla nich tajemnicą, więcej nawet – są jak nieznane lądy czy światy. Tylko nocą pozwalają się odkrywać. Staś pokazuje rączką na żołnierzy rozstawionych w szeregu. Stoją wzdłuż fosy, salutują, oddają honory. Waldek niesie wnuka na ramieniu i wyjaśnia, dlaczego mundury są w różnych kolorach. Obaj zdają się podlegać spojrzeniu armii, nie jak towary na wystawie sklepowej, ale jak eksponaty w muzeum, które zawsze trzeba podziwiać, ale których nigdy nie można mieć na własność. Nagle zatrzymał ich patrol, bo to pokazywanie rączką przez Stasia różnych oficerów stojących na skarpie stało się podejrzane. Tak nie może być. Bo co to za pokazywanie, po co, w jakim celu, komu to potrzebne? Żołnierz z patrolu postawił Stasia na ziemi, wręczył mu łopatkę z miotełką i kazał posprzątać po defiladzie. Waldka wziął pod ramię i zaprowadził do bunkra.

– Stasia do matki odprowadźcie, oddajcie go matce, on niczemu nie winien. Ze mną możecie zrobić co bądź.

W kącie okrągły stół nakryty brązową ceratą. Adiutant postawił na nim maski oralne o smaku czekoladowym, paczkę prezerwatyw, kopertę z testem na chlamydię. Waldek zaczął sobie wyobrażać najgorsze rzeczy. Kiedyś już znalazł się w takiej sytuacji. Zapewne zostanie zgwałcony, przelecą go wszyscy obecni tu żołnierze. Nagle przybyło jeszcze dwóch innych podoficerów. Jeden z nich zameldował:

– Natychmiast zabieramy go na brancz, będą kiełbaski.

XIII

Numer 74:

Marcel Cichoń

odszedł w wieku 18 lat

Pora pobudki, żeby zerwać się na równe nogi i biec do szkoły, a tu nagle dach zaczął przeciekać, woda wlewa się do pomieszczeń. Złapaliśmy z bratem za garnuszki i jak z tonącego okrętu wylewamy wodę z sypialni. Wszędzie kałuże, większe i mniejsze, mokre prześcieradła. Ojciec leży bez ruchu na łóżku, widać, że ma gdzieś wszystko, co się wokół dzieje. Wody coraz więcej, spływa po ścianach, zmywa malowidła ścienne i wzory dekoracyjne z tynku. Podkładamy pod przeciekające miejsca różne naczynia: wiadra, garnki. Matka tylko parasol unosi nad nami i się uśmiecha.

– Chłopcy, bo się spóźnicie, zostawcie już te zabawki i marsz do szkoły, spakowałam wam drugie śniadanie do tornistrów.

Firanka zafalowała, jakiś podłużny czarny przedmiot odbił się od parapetu i zniknął w głębi. Patrzyłem uważnie w jaśniejący prostokąt, ale już nic więcej nie dostrzegłem. Ulewa, która rozpętała się jakiś czas temu, wyraźnie zelżała. Teraz tylko niczego nie dotykać. Deszcz ustał zupełnie, pozostał po nim tylko mokry ślad na jezdni. Ochłodziło się i czapki okazały się przydatne. Doszliśmy do skrzyżowania, gdzie czekała na nas niespodzianka. Pan Wilga podjechał furmanką.

– Wsiadajcie, podwiozę was, jadę do szkoły z prowiantem, żeby na obiad ziemniaków wam nie zabrakło.

Strzelił batem, pognał konie, poderwał do galopu. Co prawda niedaleko, ale zawsze to lepiej na wozie niż pod nim.

Wieczne pióro z urwaną stalówką. Kartka, a na niej plączą się słowa gromadzone latami. Marcel siedzi w pierwszej ławce. Bawi nauczycieli powoływaniem do życia postaci z plasteliny, które natychmiast niszczy. Usiadłem obok niego – wszystkie inne miejsca były już pozajmowane. Gdy tylko nauczycielka matematyki obróciła twarz w stronę tablicy, zaczął szeptać mi do ucha, że posprzątał w opuszczonej chacie niedaleko domu rodzinnego i urządził tam teatrzyk kukiełkowy. Jego widzami są koledzy z podwórka, dzięki którym stworzone przez niego postaci uważają, że żyją w dostatku, ale nie czują, że coś po nich zostanie. Przychodzą także niektórzy dorośli i większość starszych ludzi z okolicy. Wtedy on improwizuje, daje się ponieść chwili i zwykle wychodzi to nieźle. Sam opracowuje scenariusze, by je realizować. Od nikogo nie potrzebuje pomocy, bo i zresztą od kogo. Tak jak teraz, gdy trzeba było napisać klasówkę. To ja potrzebowałem pomocy, tylko że Marcel, trzymając pióro w poplamionych atramentem palcach, pochylił się, oczy przy samej kartce, krótkowidz, gryzmoli coś. Nic nie widzę, bom dalekowidz. Trącam go ramieniem, gdyż mi się wynik nie zgadza. Proszę, by dał odpisać. Niestety, druh jest nieubłagany, noga na nodze, pantofle filcowe dyndają, że aż widać podziurawione na piętach skarpety. Rozwiązuje jedno zadanie za drugim, a ja pocę się i nie potrafię ruszyć z miejsca. Chciałbym go czymś przekupić, ale czym? Może pogłaskam go po twarzy. Pod wpływem pojedynczych gestów opukiwania, drapania, łaskotania czy muskania otworzy się przede mną i da odpisać poprawne odpowiedzi. Jednak nic z tego. Nadal odgradza się ramieniem, zasłania swoją kratkowaną kartkę. Zupełnie tracę cyfry z pola widzenia.

– A pierdol się, Marcelku, zobaczymy, jak ty będziesz czegoś potrzebował na przerwie.

Gdy patrzyłem na niego na korytarzu, wiedziałem, że się uśmiecha. Jego oczy mówiły jednak coś innego, kąciki ust przedstawiały codzienny grymas odrealnienia, ale gdzieś tam pod skórą czułem, że ogarnia go radość. Przeraziło mnie to. W jednej sekundzie szyderczy śmiech, a w drugiej udawany płacz. Esencja jego wypaczonej świadomości pokazywała swoje oblicze. Ciągle sam, z kanapką w dłoni, jakiś oddzielny, inny, nieobecny. Ale na zajęciach wszystkowiedzący, genialny, na każdą lekcję wzorowo przygotowany.

Próbowałem przez chwilę spojrzeć na niego inaczej. Zbyt długo popadałem w zachwyt na widok brązowych oczu, smukłych policzków i czoła. Czasami zdawało mi się nawet, że jest ładnym chłopcem, że jego wyraz twarzy jest niespotykany. Wyjątkowo zwykła opinia o kimś tak dziwnym jak on. Nigdy nie widziałem jego ciała. Z niewiadomych mi powodów nie mógł brać udziału w ćwiczeniach gimnastycznych. Gdy my podciągaliśmy się na drążku, Marcel stał w kącie i obgryzał paznokcie, przyglądając się nam do znudzenia.

Trudno przedstawić złożoność psychiki, plątaninę połączeń nerwowych wciśniętą w nie wiadomo jaką ilość szarych komórek, niespieszny trucht myśli, nieprzerwane i takie samo zachowanie. Mając to wszystko na uwadze, wiedziałem już, że istnieje jakaś niebiańska przesłanka, że wzrok mój nie przypadkiem bywa rozmyty. Z każdej strony odczuwałem milczenie, brak słów Marcela. Nikt nie chciał się do niego zbliżyć nawet na krok. Tylko ja czyniłem próby. Wielokrotne. Nie tylko przez to, żeby pozwalał mi odpisywać na klasówkach. Kiedyś udało mi się wciągnąć go w nielegalne podzielenie się pleśnią, co oczywiście szybko zostało odkryte i Marcel musiał za to odpowiedzieć przed dyrektorem. Nigdy już niczym się ze mną nie podzielił, nawet kanapką, gdy zapominałem zabrać z domu drugie śniadanie. Stojąc przed nim w bezruchu, walczyłem o resztki samodzielności.

W porze obiadu Marcel siadał sam przy stoliku. Wybierał kawałki w kształcie bezludnych wysp. Cierpliwie odkrajał wystające brzegi, by kształt mięsa stworzył prostą figurę geometryczną. Jadł z szacunkiem dla posiłku, wyobrażając sobie katastrofy dotykające dalekie lądy.

Kiedy przeżuwał, szumiało mu w uszach. Wszystkie urządzenia pracowały bez zarzutu, wypełniając gorące powietrze cichym pomrukiem. Dźwięki spłaszczały się i rozciągały. Czas sunął tam i z powrotem.

Niekiedy przysiadam się do jego stolika podczas obiadu. Jak zawsze zostajemy po stronie samych siebie i na zmianę staramy się wymyślać własny język. On udaje, że nie patrzy na mnie, gdy ja spoglądam na jego dłonie. Dlaczego ma tyle brudu za paznokciami, dlaczego są takie zaniedbane, nieobcięte? Siorbie zupę pomidorową ze smakiem. Przy sąsiednim stoliku siedzi Pelcia, więc od czasu do czasu spoglądam na nią, jak bawi się łyżką, wkłada ją do ust i wyciąga. Marcel nie chce się odzywać. Zastanawiam się, dlaczego mnie do niego ciągnie, dlaczego on swym zachowaniem przyciąga mnie do siebie, tą swoją odmiennością, przecież ja jestem inny, chociaż też niejedno mam za paznokciami. Spoglądam na niego, jak je, jak stuka łyżką o talerz. Widzę wysokie czoło, przedwcześnie pomarszczone. Chcę, żeby się odezwał, powiedział coś. Ale nie. Nic z tego. Mógłby chociaż szepnąć, żebym przestał go lekceważyć, żeby wszyscy się od niego odpieprzyli. Dlaczego nie krzyknie, że mnie nienawidzi, że nie chce mnie widzieć i po co przychodzę do stolika, przy którym siedzi on.

– Sami się sobą zajmujcie. Skończyłem z wami!

– Marcelu, spokojnie, dokończ zupę. Popatrz na Pelcię, jak pięknie je, jeśli masz ochotę, to ją zawołam.

– A po co?

– Będziesz mógł się z nią umówić, zrobi ci laskę bez gumy i do końca.

– Przy jedzeniu takie rzeczy, przestań.

– No dobra, idę do niej, pogadam.

– Tylko mnie nie umawiaj. Ona mi się nie podoba, nawet bym jej nie dotknął.

Gdy podszedłem do Pelci, powiedziała, że zaraz zacznie się lekcja przysposobienia do życia w rodzinie socjalistycznej i czy jestem przygotowany, dzisiaj na mnie kolej wypada, na mur-beton będę pytany. Jeszcze spojrzała na moje zasypane pyłem buty.

– Lepiej je zmień na papucie, wiesz, że nauczyciele nie lubią, gdy się w butach chodzi po szkole.

Weszliśmy do klasy. Tablica wisi w tym samym miejscu co ostatnio. Z jednej szkoły mnie wyrzucili, z drugiej, więc trudno się połapać, do jakiej pracowni wszedłem. Rzędy ławek jak zwykle zachowują niemą dyscyplinę. Za oknami robi się już ciemno. W świetle latarni migotają płatki śniegu, a nad kaloryferami drży ogrzane powietrze. Przygotowana do lekcji sala wypełnia się uczniami. Obok Marcela usiadła Pelcia. Marcel ma na sobie brązowe spodnie w kant i sweterek w żółto-zieloną szachownicę. Obok stóp Pelci przycupnęło jej szczeniątko. W następnej ławce Celina, dłubie w nosie i zerka na Eulalię. Szczepan żuje gumę, puszcza wielkie balony, które pękając, zaklejają mu usta. A co to po podłodze pełznie? Trudno powiedzieć. Sala wypełnia się nie tylko uczniami. Za nauczycielką idzie Telimena. Jej długą suknię próbuje nadepnąć Siłaczka. I pewnie tak by się stało, lecz Szczepan złapał Siłaczkę za rękę i zaciągnął ją do ławki. Pani profesor zatrzymała się przy tablicy. Ubrana elegancko, chociaż może zbyt starannie, z tą dbałością, która nachalnie rzuca się w oczy. Rola damy odpowiada jej najbardziej. Niech więc gra ją dalej. Nie najgorzej jej to wychodzi. Poza tym ani przez chwilę nie traci czujności.

– Mam nadzieję, że wszyscy już są – powiedziała i wzięła do ręki kredę. – Jak co roku czeka nas wielkie zadanie zadowalania ludzi! Musimy oderwać ich od codziennych zmartwień, zająć ich myśli przyjemnościami i dać im to, co każdy lubi! Czy jesteście gotowi?!

– Jesteśmy gotowi! Jesteśmy gotowi!

– Powinniśmy zawsze pamiętać, po co jesteśmy. Mieszkańcy ludzkiego padołu mają tysiące problemów na głowach, do nas więc należy zmienianie ich trudnego losu. Niech zapominają, niech odnajdują się w innych światach, które im stwarzamy, niech się śmieją, niech płaczą nad innymi, a nie nad sobą, niech się boją o swoich bohaterów i emocjonują ich losami.

Huczy dzisiaj jak w ulu. Przeważnie sami uczniowie, rozhasani, czyściutcy… Ktoś zaszlochał. To nie rozpacz ani oczywiście nie skrucha. Za chwilę poczujesz na głowie delikatny dotyk dłoni. Będziesz czule głaskany po twarzy, a na twoim ciele pojawi się gęsia skórka. Skup się. *Fantazja polska* Paderewskiego rozlega się w swym najbardziej popularnym fragmencie. Najpierw subtelnym, składającym się z nieśmiałych eskapad. Z czasem bardziej zachłannym – zawłaszczającym słuch.

– To może poprosimy Waldzia do tablicy!

Ruszyłem nieśmiało przed siebie, idę między ławkami. Ktoś chciał mi podłożyć nogę, ale mu się nie udało. Chcę odpowiedzieć chociaż na trójkę. Bardzo mi na tym zależy, ponieważ jest to jedyna szansa, by znowu nie wyrzucili mnie ze szkoły. Ale jak tylko wziąłem namoczoną gąbkę w dłoń, pani profesor spostrzegła moje zakurzone buty i poprosiła, bym natychmiast opuścił salę. Powiedziała, żebym włożył odpowiednie obuwie, takie jak ma na stopach Marcel, którego zaraz po mnie poprosiła do tablicy. Nie czekając na pytanie, jakie mogłoby paść ze strony nauczycielki, szybko wyszedłem na korytarz. A tam biel w świetle i tylko cienie od czegoś też białego. Czego? Liter. Leżą, stoją, porozrzucane, większe, mniejsze, małe, grube, cieńsze. Z nawyku traktowania liter czytasz: sala, sas, ala, saslalas, as – coś ciągle przeszkadza złożyć słowa. A to wielkość liter różna, a to ułożenie: jedna leży, dwie stoją, trzecia za mała. Jeszcze nie wiesz, co to za bal. Słuchasz ciszy i patrzysz. Cisza i czas. W tę ciszę zaczyna coś drapać, potem szeleści, potem słyszysz wodę – kapanie, plusk. Z lewej cieniutkie stukanie patyczków. Dzięciołek, terkotka, pojedyncze dźwięki, tony… Wokół spokój, cisza, zapach pasty do podłogi. Sprzątaczka froteruje parkiet. Muszę zejść po schodach do szatni, poszukać jakichś papuci, wiadomo, że nie swoich, od niedawna przecież jestem tutaj, to do tej szkoły przeniesiono mnie za złe zachowanie w poprzedniej. Nie jestem tutaj zadomowiony. Na pewno znajdę jakieś nikomu niepotrzebne pantofle, zabłąkane, zapomniane, zakurzone, takie, jakie lubię. Już czuję zapach potu, przepoconych skarpet, zagnojonych podeszew. Szatnia jest podzielona na boksy ze stalowymi kratami. Wszędzie wiszą kłódki, drzwi do boksów pozamykane. I co teraz?

Włożyłem rękę do kieszeni. Jest źle. Nie poddawać się, nie uciekać przed niedającymi się odemknąć kłódkami. Nie powinienem odsuwać się na bok, kryć się pośród pozostawionej przez uczniów garderoby. Przed sprawdzianem nie uciekniesz, świadectwo z dwójami chwilowo możesz zaszyć w kieszeni starych spodni. Ale musisz pamiętać, że w najmniej korzystnym momencie złe oceny wrócą, a wraz ze zmartwieniami każdy strach, dotąd ukryty w szatni za bordowymi płaszczykami w zielone paski. Wrócą zawsze mokre ranne polucje.

Tylko co teraz? Jakiś szmer. Ktoś tu jest, ktoś się chowa w szatni. Przed czym, przed kim? A, to Akrobatka, pewnie znowu coś nabroiła.

– Wychowawczyni wypierdoliła mnie z lekcji, bo jej się mój makijaż nie spodobał, kurwie jednej.

– Nie przejmuj się, mówię ci. Mnie też nauczycielka wyprosiła z klasy, moje buty jej przeszkadzają.

Akrobatka zaczyna mi wyjaśniać, że na twarzy też są mięśnie, może mniejsze, delikatniejsze, mniej rozbudowane, ale są. Co to przeszkadza nauczycielom, że chce się pomalować, że używa szminki, przecież skończyła osiemnaście lat, to już o kobiecości może sobie myśleć, a nie tylko ta dziewczyńskość, pensjonarskość.

– Tym starym cipom nic się nie chce, nawet włosów zrobić, żeby się układały jak trzeba, nie mówiąc o farbowaniu.

Z Akrobatką jest tak, że jak wszyscy mówią prawdę, to ona też. Jak kłamią, to ona z nimi. Proste, dobre i właściwe. Jak ma ochotę, to potrafi być miła, czasem pokaże figę z makiem, czasem chętnie zdejmie majtki. Takie to wszystko dla niej proste.

– W ogóle nie rozumiem, dlaczego ludzie wchodzą mi w drogę. – Spojrzała na mnie.

– Nie po raz pierwszy i pewnie nie po raz ostatni. – Skinąłem głową.

– Niedługo zainwestuję w nowy zamek, bo jeszcze chwila i wywalą mi drzwi. Moje życie, moja zabawa, a oni za wszelką cenę chcą na mnie wchodzić. A z tobą to jeszcze nie byłam, chciałbyś mnie ruchnąć, pewnie nie miałeś jeszcze dziewczyny? Co?

– No, nie będę ukrywał…

– To chodźmy do mnie, olać szkołę, wynajmuję mieszkanie u takiej jednej paniusi.

Akrobatka poprowadziła mnie jakimś labiryntem, żeby nas dyrektor przez okno nie zauważył.

– Ty, patrz! Ha, ha, ha! Bo pęknę ze śmiechu, dalej, śmiało. Tak, cholera. Już się zaczyna, mogłam się domyślić, że tak będzie. Żadnej zmiany świata nie będzie, on jest zbyt zepsuty. Nie będę się w to mieszać. Teraz po schodach, tylko spokojnie. Nic się nie martw.

Pokój obszerny, urządzony ze smakiem i dość wygodny. Na lewo od wejścia ława, trzy fotele obite brązowym pluszem, na ścianie tkana ręcznie wełniana makatka. Arcydzieło sztuki rękodzielniczej, które zapewne sporo kosztowało… W prawym kącie przy framudze okiennej mocno spiętrzone fałdy brokatowej kotary osłaniają wnękę, w której stoi tapczan. Akrobatka usiadła na nim i zaraz zaczęła się rozbierać. Spojrzała na mnie, jakby pytając, na co czekam.

W myślach wszystko mam poukładane. Najmniejszego problemu z erekcją, członek napęczniał do granic możliwości. Żeby tylko nie skończyło się przedwcześnie, bo Akrobatka potrafi zacząć od ostatniego szczebla. Szczepan opowiadał mi, że zdolna jest do różnych wybryków nie tyle dla zdrowia duszy, ile dla zdrowia ciała.

Nie wiedzieć kiedy trud i rozkosz spoiły się jakimś niepochwytnym naturalnym węzłem. Wszystko ze mnie wyciekło, a żeby jakoś jeszcze móc pofiglować, wziąłem w dłoń ten swój ogryzek i zacząłem się nim bawić. Akrobatka jednak nie pozwoliła mi na to zbyt długo, uważając, że w jej obecności nie powinno dochodzić do rękoczynów. Więc sama zrobiła mi to ustami.

Po wszystkim zaczęliśmy gadać o Marcelu, że przydałby się jemu w końcu ten pierwszy raz, że on taki nieśmiały, taka z niego pozszywana pstrokacizna. Na co Akrobatka, żebym przyprowadził go do niej byle kiedy, to zrobi z nim to, co ze mną. Ja na to, że fajnie byłoby dzisiaj, kiedy ona jest jeszcze taka gorąca, rozpalona, a tam mokro, soczyście i wargi nabrzmiałe. Pójdę, poszukam Marcela i go przyprowadzę.

– Poleż sobie w łóżku, nigdzie nie wychodź – mówię jej.

Ruszyłem za Marcelem, by jak najszybciej trafić na jego ślad. Gdzie on teraz może być? Pewnie zaszył się w harcówce, lubi tam chodzić i wzywać imię Pana Boga nadaremno. Przychodzą mi na myśl nieprawdopodobne zbiegi okoliczności, przypadki, które pomagają, a niekiedy jeszcze bardziej gmatwają poszukiwania. I proszę, siedzą chłopcy, grają w brydża, lecz żaden z nich nie widział Marcela. Który to już roberek z kolei? Długo liczą karty, tasują, nikt ostatnio nie zachodził. Nie wychodź, matole, tym, czego nie ma na stole. Nagle pojawiła się druhna Eulalia z nożycami do przycinania kartoników, na których robi się noty proweniencyjne skorup i kamyków. Też nic nie wie, nie umie mi pomóc. Nic tu po mnie, nawet gdybym zechciał zaglądać w najdalsze kąty harcówki, nie znajdę tutaj tego kogoś, kogo szukam. Trzeba mi się udać na strzelnicę. Marcel lubi czasem tam wystawać i patrzeć, jak kule trafiają prosto w serca manekinów. Ale najpierw spojrzałem na swoje buty, a między nimi ujrzałem szarość ulicy, zwykłej, a przecież tak pasjonującej, i nawet nie próbowałem zrozumieć sensu patrzenia, aż oczy otworzyły się szerzej i dojrzałem coś więcej, dojrzałem być może to, co oni wszyscy widzą tam, w dole. Strzelnica oddalona kilometr od szkoły, położona nad rzeką, wśród wiklin. Wysoki nasyp, kilka stanowisk. Uczniowie leżą i repetują karabiny. Kule wędrują do celu. Wojna, istna rewolucja w przyrodzie, lecz toczona z umiarem. Ziemia rozdeptywana, poszarpana pociskami. Sporo gapiów, lecz nie widzę wśród nich Marcela. Muszę zapytać, czy ktoś go nie widział. Nie mógł przecież przepaść jak kamień w wodę, tak nagle zapaść się pod ziemię.

I znowu ten czas przeszły, wysiłek pamięci. W jakich butach był dzisiaj? Widzę Marcela wchodzącego rano do klasy. Przechodzi przez otwarte drzwi. Postać średniego wzrostu w brązowych spodniach w kant, sweterek w żółto-zieloną szachownicę, na nogach filcowe pantofle. Gdzież on może być? Zadziwia mnie ten ponury, aspołeczny, flegmatyczny chłopak, nigdy nieangażujący się w sprawy bliźnich. A czy ja nie jestem do niego podobny? Dla mnie szkoła to też tylko szary gmach, chodzi się do niej, by zdobywać wiedzę – raz ciekawą i wstrząsającą, innym razem nudną i przymusową. Koledzy mnie nie lubią, ja nie lubię ich i w gruncie rzeczy dobrze nam się żyje. Ale gdzie jest ten Marcel? Kamień w wodę albo diabeł ogonem nakrył, nie wiadomo. A swoją drogą szkoda, że człowiek jest taki taktowny. Mógłbym zakaszleć, chrząknąć. Czy Marcel wyszedł ze szkoły? Ale żeby opuścić budynek, powinien zejść na dół do szatni, odziać się. I znowu te nieszczęsne milczące schody! Powinienem był go wtedy słyszeć. Dlaczego nikt go nie widział, gdy schodził do szatni, żeby się ubrać? Nic nie rozumiem, nic mi się nie układa. Już nawet nie wiem, po co go szukam. Na pewno zjawi się jutro, przecież jedziemy do Krakowa, by w kinie Kijów obejrzeć *Przeminęło z wiatrem*. Jeszcze tylko zapytam przechodzącego Szczepka, czy nie widział Marcela.

– Pewnie stoi gdzieś w kącie i wpierdala kanapkę z salcesonem.

I nagle głuchy telefon, zabawa w pomidora, bo ten powiedział to, tamten tamto. Marcel nie pojedzie z nami na film, gdyż nie żyje. Pelcia niby od Szczepana się dowiedziała, ten od Eulalii, Eulalia od Celiny, a ona nie wiadomo od kogo. Podobno zdjęli jego ciało z drabiny i złożyli w ramionach matki. Wspinał się po siano dla gadów, by je nakarmić. Kiedyś w dzieciństwie u Marcela dokonano trepanacji czaszki, wycięto mu guz mózgu. To wróciło, jakieś powikłania, wylew, udar, nie wiadomo co. Ciało mieczem przeszyte spoczęło na boisku stodoły, jakby w stajence betlejemskiej.

Trzy dni po powrocie z seansu udaliśmy się z całą klasą na pogrzeb. Gdy stanąłem nad grobem, odezwał się do mnie. Mówił po cichu, co mam robić. Jak stać, jak patrzeć, co myśleć. Stał za mną i obserwował, podtrzymywał na duchu. Widzę jego nietkniętą słońcem białą skórę, stwardniałą i pokrytą maleńkimi łuskami. Poczułem zapach zgnilizny, choć było jeszcze za wcześnie.

XIV

To prawda,

i tamto realne

Wychodząc z domu w ten październikowy poranek, wziąłem ze sobą dwa noże: większy i mniejszy. Jerzyk ma w warsztacie szlifierkę, to mi je naostrzy. Matka od dawna utyskuje, że są tępe i chleba nie można ukroić. Ojca trudno namówić, zresztą rzadko jest z nami, bo po świecie się włóczy, a jak już jest w domu, to czyta kryminały. Brata o nic nie można się doprosić. Dlatego niosę zawinięte w gazetę noże do Jerzyka. Kiedyś już napomknąłem o tych nożach, mijając go na ulicy. Powiedział, żebym przyszedł, kiedy mi się zachce. To idę, wchodzę na podwórko, Jerzyk stoi pośrodku uśmiechnięty.

– Cześć, przyniosłem te noże, może byś szlifnął?

– Chodźmy do warsztatu.

Wszystko układa się dobrze. Kazał mi poczekać przed drzwiami. Usłyszałem warkot szlifierki. Rozglądam się wokół, widzę, że wszystko poukładane równiusieńko, jak na półkach w aptece, pedantycznie i drobiazgowo. Pod rynną wielka drewniana beczka pełna wody deszczowej. Jakieś wiadra, miednice. W drzwiach domu ujrzałem panią Stępniowską. Kiwnęła ręką, żebym podszedł.

– Dzień dobry pani.

– Dzień dobry.

– Co tam u mamusi, Waldziu? Gdzie masz czapkę, przecież wiatr porywisty, przeziębisz się, to przecież nie lato.

Jak zawsze opiekuńcza pani Stępniowska troszczy się o wszystkich, przecież w aptece często ma do czynienia z chorobami.

– W nocy była ulewa, widzisz, ile deszczówki się nazbierało, to woda destylowana, bardzo zdrowa, możesz sobie wziąć trochę, jeśli chcesz. A dlaczego nie jesteś w szkole?

– Szkoła nie zając, nie ucieknie, zrobiłem sobie dzisiaj labę.

– Pamiętaj, że kto kocha życie, łatwo może je stracić.

Jerzyk szybko uporał się z ostrzeniem, bo już stoi przy nas i pokazuje mi, jak bardzo się starał. Wyjął z kieszeni jakiś przedmiot i włożył mi do ręki.

– Masz tu nową ostrzałkę, z takimi kółeczkami, co jakiś czas przeciągniesz przez ten rowek ze trzy razy i masz spokój na lata. Nie będziesz musiał mi głowy zawracać.

– Waldziu, pozdrów mamusię i czapkę włóż. – Pani Stępniowska pomachała mi ręką.

Duży nóż schowałem do chlebaka, a kozik włożyłem do kieszeni – niebawem będzie mi potrzebny. Umówiłem się ze Szczepanem na grzyby. Zaraz powinien się pojawić. O, już jest.

– Gdzieżeś ty bywał, czarny baranie? – powiedziałem.

– Nie marudź, siadaj na ramę, podjedziemy do Przy- lasku, wiem, gdzie jest wysyp, natniemy prawdziwków co niemiara.

Jedziemy, a Szczepan krzyczy przez wiatr, że się ociepli- ło, że polało i wilgoć odpowiednia, dobra pora, wysyp jak się patrzy, nazbieramy grzybów, że starczy na zupę i sos. Zatrzymaliśmy się pod lasem. Szczepan oparł rower o starą brzozę, wręczył mi średniej wielkości koszyk wi- klinowy i ruszyliśmy wzdłuż skarpy.

– Tylko pamiętaj, Waldek, w tych prześwitach szukaj, nie wchodź głęboko do lasu, rozglądaj się tam, gdzie światło się przebija, między borowinami. Ja pójdę w dru- gą stronę, żebyśmy się nie zadeptali... scyzoryk masz? Żebyś nie wyrywał z grzybnią, pamiętaj!

Galicyjska jesień. Liście pozrywane z drzew. Kolorowe. Mnóstwo liściastych duszków między drzewami. Patrzę i zastanawiam się, gdzie rosną grzyby.

Brodzę w rozlanych barwach, które przekrzywiają ob- raz świata, rozmazują go, aż ciężko odróżnić, co mate- rialne, a co jedynie namalowane światłem. Wszystko, co ziemskie i pozaziemskie przenika się i dotyka. Tylko na- dal nie wiem, w którym miejscu rosną grzyby.

Przede mną drzewa, krzewy, borowiny. Gra barw, dźwięków, zapachów. Kolorowo mi. Zamęt, rozkołysanie. W ogóle nie trzeba kręcić się w kółko, by oglądać niebo. Wiruje wszystko, plącze się, łamie ot tak, z przypadku, dla zabawy. Stoję na jednej nodze, gdyż wokół wszystko jest nierealne. Wszystko się przenika. Powietrze, powietrze to tylko ruch, to tylko załamanie światłocienia. Rydze, rydzów w bród. Kozikiem nóżki tnę, przy samej grzybni, ach, jaki to piękny widok, ta żółć. Już koszyk napełniony po brzegi. Czas wracać.

Szczepan czeka na mnie przy rowerze z pretensjami, gdzie się podziewałem. On jak zwykle ma same prawdziwki, całe mnóstwo, koszyk z kopką. Wskoczyłem na ramę i jedziemy. Szczepan wjechał na rynek i się zatrzymał.

– Kurwa, gliniarze jadą.

– Nic się nie martw, to mój wujek, dzisiaj ma służbę, nie ma co się bać… dalej poradzę sobie pieszo.

Gdy Szczepan odjechał, ruszyłem ulicą w dół. A mijając gospodarstwo Bogusławy Burnus, ujrzałem, jak zamiata liście na podwórku. Ukłoniłem się.

– Dzień dobry – powiedziałem.

– Dzień dobry, co ty tam masz w koszyku?

– Grzybów nazbierałem, zaniosę ciotce, niech usmaży.

Już kiedyś obiecałem cioci Anieli, że dla niej grzybów uzbieram. Dzisiaj nadarzyła się świetna okazja.

– A ja tak zamiatam te liście, bo jesień i ciągle trzeba zamiatać, bo ciągle ich nie brakuje. Może jak śnieg przysypie, to będzie spokój. A ty nie w szkole dzisiaj?

– Na wagarach, należy mi się, męczą w tej szkole, maturą straszą… Mojej mamy pani nie widziała? Nie wracała z zakupami?

– Nie, nie widziałam, ale placek musiałam wyciągnąć z piekarnika, to weszłam do domu na chwilę, wtedy mogła przejść niepostrzeżenie.

Burnusowa się rozgadała. Powiada, że placek dla Sporzychowej upiekła, bardzo dobry ze śliwkami na kruchym cieście, a jak tylko sprzątnie podwórko tak, jak należy o tej porze roku, to do Strzechwowej pójdzie włosy jej ułożyć, pofarbować, Strzechwowa ślub ma w rodzinie i musi ładnie wyglądać. Zamiata liście na kupkę, wiatr ciągle je rozwiewa, syzyfowa praca, dzieci zapewne w szkole, bo żadnego nie widać, żeby się w obejściu plątało. Mąż w pracy, spokój ma pani Burnusowa, nie musi się tak uwijać. U Sporzychowej kawki się napije, skosztują placka ze śliwkami, u Strzechwowej jakieś winko się znajdzie, żeby włosy ładnie się ułożyły, tylko te liście zgrabić, zamieść.

Pomięte, wilgotne liście. Czerwone, brązowe, brązowe, brązowe, czerwone. Oczarowuje mnie pustka wokół, gdy ich dotykam. Dotykam, namaszczając, kształtując ich niezwykłą muzyczność. Nauczyłem się liśćmi naśladować otaczający świat. Słyszę warkot silnika. To wujek Mordawski podjechał milicyjnym gazikiem. Popatrzył na mnie.

– Co ty tam masz w tym koszyku i dlaczego nie jesteś w szkole?

– Na grzybach byłem z kolegą, dzisiaj żadnych ważnych lekcji, to sobie odpuściliśmy, taki wysyp nieczęsto się zdarza.

Wujek spojrzał też przez ogrodzenie na panią Burnusową i się jej ukłonił. Ona odwzajemniła ukłon. Pytam wujka, czy ciocia jest w domu, bo obiecałem, że nazbieram dla niej grzybów i zrobimy sobie ucztę. Na co wujek, że w domu nikogo nie ma, dom stoi pusty, klucz pod wycieraczką, jak chcę, to mogę się tam rozgościć, grzyby usmażyć.

– Gdy wrócę z pracy, to chętnie zjem takie smażone na masełku. Muszę jechać, mam zgłoszenie, jakiś wypadek był na Krynickiej.

Zasunął szybę i odjechał. W tej samej chwili zbliżył się do mnie jakiś mężczyzna. Wysoki, raczej młody, w jasnym płaszczu i popielatej czapce. Zapytał, gdzie znajdzie na tej ulicy numer sto dziesięć.

– A, do pani Duszewiczowej się pan wybrał, to niedaleko, ulicą w dół, parę kroków, za zakrętem, zaprowadzę pana, właśnie idę w tamtym kierunku.

Jegomość spojrzał na koszyk z grzybami i zapytał, gdzie udało mi się nazbierać tyle tych pięknych rudych rydzów.

– A wie pan, gdzie leży Rakutowa? To tam, w tamtejszych lasach, z kolegą byliśmy.

Na odchodnym popatrzyłem w kierunku bramy, gdzie niedawno widziałem Burnuskę, ale jej już tam nie było. Szerokość ulicy przed nami. Przytłumione kolory. Zawsze te same barwy, żeby za nimi tęsknić. Czasami droga wymyka się spod nóg nagle i niespodziewanie – jakby jej celem było robienie mi na złość. Dobrze wiem, że tylko wtedy, kiedy idę tą ulicą, rozmawiam bezgłośnie sam ze sobą, a przechodnie bawią się szampańsko, klaszczą w dłonie z zadowolenia. Tymczasem za zakrętem, który pachnie tylko liśćmi, stoi szary, bezimienny i pogrążony w swojej samotności domek pani Duszewiczowej. Po drodze dowiedziałem się, że mężczyzna, którego podprowadziłem pod same drzwi, potrzebuje pomocy. Ma w domu noworodka. Jego żona boi się dziecko wykąpać, przewinąć, w ogóle jest bezradna w tych podstawowych czynnościach, on chce właśnie poprosić panią Duszewiczową, żeby pokazała im, co i jak. Dowiedział się, że ona w takich sytuacjach nie odmawia pomocy, a zna się na rzeczy jak mało kto. Nieprzewinięty, nienakarmiony, niewykąpany noworodek nie daje spać, ciągle płacze, trudno go uspokoić, oszaleć można, on też nie potrafi zająć się synem, nikt go tego nie nauczył.

– Jesteśmy na miejscu, to tutaj, ten dom. – Puściłem jego rękaw. Raz po raz docierają do mnie dźwięki. Najwyraźniejszy jest stukot ciężkich kół pociągu w oddali. Jest taki równomierny, regularny. Przez chwilę wsłuchuję się, po czym mówię: – Jeśli pani Bronia ma dziś nocną zmianę, to zapewne jest w domu, trzeba głośno pukać. Niech pan idzie.

Otóż nagle Celina pojawiła się w obejściu.

– Hej, Celina, ten facet do twojej mamy, zaprowadź go, ma jakiś problem z niemowlęciem, potrzebuje pomocy.

Celina podeszła do bramki, odemknęła na oścież.

– Proszę, niech wejdzie. A ty co, gdzie się wybierasz, ile masz grzybów, to dla mnie?

– Nie, nie, muszę lecieć.

Tylko ułamek sekundy, a nad moją głową przeleciał wróbel. Widzę ciocię Marysię, jak wraca z miasta.

Po sprawunki była – codziennie chodzi po coś do rynku. Zatrzymała się przy mnie, położyła siatkę z zakupami na betonie, na niej zaś torebkę i zajęła się nieposłuszną pończochą. Przyjemnie było patrzeć na jej zgrabne nogi. Oczywiście zaraz zauważyła koszyk z grzybami i zaczęła dopytywać, co mam zamiar z nimi zrobić, bo chętnie by je ode mnie wzięła, by usmażyć na masełku. Bąknąłem coś, że mam kupca, że obiecałem i głupio będzie się nie wywiązać.

Ledwo skończyła poprawiać pończochę, a już niepostrzeżenie wyciągnęła z torebki lustereczko. Przegląda się w nim, unosząc lewą brew. W końcu przeciągnęła po niej delikatnie opuszkiem palca. Schowała lusterko do torebki, westchnęła. Odchodząc bez pożegnania, zanuciła przebój *Wariatka tańczy* Maryli Rodowicz.

Przede mną kolejny obraz, inne dzieło. Nie jestem z nim zespojony. Jestem jedynie ruchomym obserwatorem, wsadzonym między liście, kolory. W powietrzu coś, jakby statek, jakby domek czy lampa oliwna – karmnik. I wszystko ukryte w gąszczu słupów telegraficznych. Pan Irota, wracając z pracy, zrywa z nich wszelkiej maści ogłoszenia. Wścieka się i szarpie. Pewnie słowa wydrukowane na tych ogłoszeniach tak go denerwują. Słowa bez związku, bezcenne, płynące potokiem, ulewą, wezbraną rzeką… wszystkie słowa naraz… słowa głupie i puste jak moja modlitwa wieczorna… słowa na każdą chwilę… słowa piękne i słowa brzydkie, słowa nowe i te z archaicznych słowników… słowa dźwięczne i takie,

które można powiedzieć samym oddechem, chuchnię-
ciem, dmuchnięciem... słowa pospolite, zwykłe i takie,
które da się napisać tylko dużymi literami, tymi naj-
większymi.

– Ja im, kurwa, poprzylepiam, co oni sobie myślą, że
można tak zaśmiecać moją ulicę, zrobię z tym porządek...
A ty co, Waldziu, co tu robisz, dlaczegoś nie w szkole,
wagary, co?

– Na grzybach byłem, panie Ludwiku, wysyp jest,
niech pan popatrzy, jakie ładne rydzyki w koszyku.

– I co, pewnie rwałeś tam, gdzie nie wolno, w rezer-
wacie przyrody, co?

– Nie, na Rakutowej byliśmy z kolegą.

– Już nie mam siły, nie upilnuję wszystkiego.

Ulica niczym huśtawka, wszystko się chwieje, nie ma
nic stałego, o nic nie można się oprzeć, żadnego stałego
punktu. Mateusz Matys wyrósł spod ziemi, pali papierosa,
gładzi grzywkę.

Pan Ludwik kolejne ogłoszenie ze słupa telegraficz-
nego zerwał, spojrzał na Mateusza i zawołał, że zrobi ze
wszystkim porządek na tej ulicy, wszyscy będą chodzić
jak w zegarku.

– Chodź, Waldek, zostaw tego ormowca, postawię ci
obiad, pewnie głodny jesteś, po schabowym wtrynimy.

– A co z grzybami? Zobacz, cały koszyk nazbierałem.

– Weź ze sobą, może komu podarujemy.

Idziemy, a raczej obracamy się, dalej są drewniane
drzwi gospody Pod Wierzbą, w której czeka gwar. Kufle

pełne piwa, śmierdzące popielniczki, dym i rozlana na blatach stołów wódka. Pierwsza sala, druga sala i sala wyłącznie do konsumpcji.

– Gdzie siadamy?

– Może w drugiej sali.

Tam już siedzą Sroczka i Rossa. Szepczą sobie coś do uszu. Mały Kaziu szuka monet między stolikami.

Mateusz zamówił schabowego z kapustą zasmażaną i ziemniakami, ja wziąłem naleśniki z serem i cukrem. Z kołchoźnika słychać było przebój Zdzisławy Sośnickiej *Żegnaj lato na rok*. Stenia szybko uporała się z zamówieniem. Jemy. Każdy skromny kęs otulony papierosowym dymem. Mimo ubłoconych butów i liści dziko pląsających za oknami gospody nie potrafię zebrać wszystkiego w garść. Dzisiejszy rozgrymaszony dzień to dla mnie dar. Naprawdę, staram się nie kłamać.

Stenia ze ścierką w dłoni pomaga szukać małemu Kaziowi drobniaków. Przy okazji zmywa posadzkę. Z daleka widok zdaje się idealnie sielankowy. Z bliska zaś urasta do obrzydliwości i aż przytłacza brzydotą.

– Skończyłeś?

– Tak.

– To chodźmy, muszę jeszcze kupić wino patykiem pisane, może napijesz się ze mną.

– Co z grzybami?

– Pierdol grzyby.

Wyszliśmy na powietrze. Mateusz zapalił papierosa. Zaciągnął się może ze trzy razy, gdy nagle ujrzeliśmy

Emila Sebonda – on to znajomy Mateusza z podstawówki. Emil podszedł się przywitać. Patrzę na niego. Jest jak kot. Zachwyca wielkim jaskrawozielonym spojrzeniem. Nie znam go za dobrze, więc tylko podsłuchuję, co mówi. Wrócił niedawno ze Śląska, bo pracuje tam i dobrze zarabia. Mówi coś o górnikach z kopalni Dymitrow. Doszło do wybuchu pyłu węglowego. Zdziwiony jest, że nikt tutaj o tym nie mówi, nikt nie wie. Przyjechał odwiedzić matkę, rodzinny dom, tę ciasnotę. Matka ciągle zabiegana, rozczulająca się, naiwna. Kojarzy się z tabliczką gorzkiej czekolady pozostawioną na nocnym stoliku...

Spojrzałem w bok. Nie mogę pojąć, gdzie się podziały pudełka zapałek, faktury minerałów, archiwa szczerych uśmiechów. Czas się pożegnać z Mateuszem, z Emilem. Niech sobie gadają, wspominają, gdy koszyk z grzybami ciąży. Powinienem w końcu coś z nimi zrobić. Usmażyć, ugotować, sprzedać, podarować komuś. Chociaż w sumie nie to jest ważne. Grzyby to zaledwie skutek uboczny dzisiejszego dnia. Maszyneria, którą jest pamięć, rysuje kreski jak sejsmograf albo wykrywacz kłamstw, że ciebie nie ma, że nigdy cię nie było.

Gdy Antoni Sojat przymknął powieki, mnie nagle olśniło, że pewnie wraca z zebrania w remizie strażackiej, na którym ustalili regulamin zawodów mających się odbyć w niedzielę na boisku sportowym. Jednostki bojowe z każdej okolicznej wsi staną naprzeciw siebie. Pan Sojat troszkę podchmielony, pewnie było coś na jedną i na drugą nóżkę.

– A ty, Waldziu, to co, co z tym koszykiem tak łazisz, dokąd żeś się wybrał, lekcje już odrobione, ciemno się robi, późno, a tobie na spacery się zebrało, matka wie, gdzie jesteś?

– Tak, panie Sojat, to rydze, dzisiaj uzbierałem, ładne, dorodne.

Znów odprówam nici, znów uciekam przed spadającym niebem, znów oddaję cząstkę siebie, nie dostając nic w zamian.

– Spieszę się, żona pewnie już tam w domu klnie na mnie, zebranie się nieco przeciągnęło. Przyjdź na zawody, zobaczysz, jak nasi spuszczą wszystkim wpierdol, złamanego zęba nie zostawią tym z Jastrzębi albo z Ostruszy.

– No nie wiem – szepnąłem.

A gdy zobaczyłem, jak pan Sojat się oddala, wszystko dziwnie się zachwiało. W ładzie ulicy nastąpił gwałtowny zgrzyt. Trzeba było nagle odnaleźć się w nowej i niewyjaśnionej sytuacji. Na ratunek przyszedł mi pan Koryga. Akurat wyszedł z domu odetchnąć świeżym powietrzem, zresztą żona, odkąd wrócił z pracy, bez przerwy ględzi, to i głowa go rozbolała. Wyjął z cygarniczki papierosa i zapalił. Szybko też mnie zauważył, to i zapytał, co słychać.

– Na grzybach byłem, rydzyków nazbierałem, będzie na kolację.

– Grzyby na kolację niezdrowe, ciężkostrawne, poczekaj z nimi do rana.

No tak, jeszcze się gapię jak ciele na malowane wrota. Byłem zły na siebie, a może tylko zmęczony? Zmęczony,

zmęczony, powody do zmęczenia są. No cóż, nie mam na razie powodów do chwały.

– Tak, proszę pana!

Najpierw pan Koryga powiedział, że jak chcę, to może mnie w niedzielę zabrać na grzybobranie, on zna takie miejsca w Przylasku, że oko mi zbieleje, same prawdziwki szlachetne, dorodne, jak malowanie. Po czym zaczął się dopytywać o mamusię, co tam u niej, bo ona zawsze mu się podobała, nadal podoba, taka ślicznotka, zazdrości mojemu ojcu tak pięknej kobiety, wybiera się do nas, jak tylko będzie miał więcej czasu, to przyjdzie z dobrym winem, żeby się z moją matką napić po lampce, tak jak należy, od serca, bo trzeba się szanować, lubić, służyć dobrym słowem, przecież sąsiadami jesteśmy, znamy się, pomagamy sobie. I pewnie dalej by się tak rozwodził, ale skończył palić, zagasił papierosa i powiedział, że musi wracać do domu.

– Pozdrów mamusię, ukłoń się jej ode mnie.

Spojrzałem w przyszłość ulicy, na jej perspektywę, na horyzont. Szarówka osiada, kłębi się wokół. Wydaje się, że każdy szczegół traci swój charakter. Jaka będzie kiedyś moja ulica? Jak będzie wyglądać? W co zmienią się stare rowery? Czy zmęczone spojrzenia ustąpią miejsca energicznym krokom? Czy będzie się chodziło po trotuarze, nie taplając się w błocie? Sąsiedzi modnie się ubiorą? Porzucą motyki i grabie? Teraźniejszość nie tłumaczy wszystkiego i nie do końca mnie zadowala, gdy tak wypatruję. Czego? Sam nie wiem. Nagle z szarości się wyłania babcia. Idzie wolno pod górę, stąpa w czerwonej chuście na głowie. Chusta z frędzlami, w róże. Bez niej z domu by nie wyszła, bo jak to mówi, uszy by jej przewiało. Idzie babina, pochylona, z różańcem w dłoni, różaniec zwisa, że dotyka ziemi, nabożeństwo jeszcze się nie zaczęło. Czy mnie zauważy, gdy taka skupiona, pewnie już dziesiątek odmawia. Ale nie, bo gdy się mijamy, przystanęła i patrzy na mnie zdziwiona, na koszyk z grzybami patrzy, pewnie chciałaby, żebym poszedł z nią do kościoła, ale ten koszyk ją spłoszył, bo jak z takim koszykiem pod ołtarz się pchać.

– Co ty tu, huncwocie, robisz? – pyta.

– Do domu wracam, na grzybach byłem, sporo uzbierałem – mówię i podnoszę koszyk wyżej, żeby mogła dokładnie sprawdzić.

– To już zmiataj do domu, matka tam lamentuje, że do tej pory jeszcze ze szkoły nie wróciłeś, pewnie zleje ci tyłek, a ja cię nie obronię, pomodlę się za ciebie, tyle mogę zrobić.

Przeszedłem na drugą stronę ulicy, kilka kroków i jestem w swoim obejściu, słyszę, jak sąsiadka za ogrodzeniem krzyczy na psa przywiązanego do budy:

– Co tak szczekasz?… Ja ci dam żreć… jak ci dam po kusie, to się zesrasz… będziesz mnie denerwował?… to mnie, kurwa, nie denerwuj!

Słyszę, jak jej głos niesie się po okolicy, nikt się tym nie przejmuje, bo ciemno się robi i pusto. Do drzwi mam parę kroków, w końcu jestem u siebie, matka krzyczy, dopytuje się, ale gdy postawiłem koszyk z rydzami na stole w kuchni, uśmiechnęła się i dała mi spokój. Mogłem spokojnie pójść do siebie odpocząć po całym dniu wędrówki. Jednak nawet nie zdążyłem dobrze usiąść na krześle, gdy usłyszałem w korytarzu czyjś głos.

To Marcel przyszedł, żeby się dowiedzieć, co jest zadane na jutro, bo nie był w szkole, a chce być przygotowany do lekcji. Przez cały dzień bolał go ząb. Płukał usta wódką, przykładał do chorego miejsca przyparkę z tytoniu, terpentynę, naftę, jodynował usta. Teraz już jest w porządku. W uszach ma watę maczaną w spirytusie. Posadziłem go w fotelu, a sam zacząłem się krzątać. Wyciągnąłem literatki, postawiłem na stoliku, włączyłem elektryczny czajnik, nasypałem po łyżeczce suszu herbacianego do szklanek. Z szafki pod oknem wyjąłem spodki, żeby nie pobrudzić białego obrusu.

Marcel jakiś dziwny, odmieniony, rzucił na stół paczkę sportów ekstra, wino patykiem pisane postawił. Słowa miłe, ciepłe i serdeczne nie przychodziły mi na myśl.

– Też nie byłem dzisiaj w szkole, nic nie wiem, co zadane, nie bardzo się tym przejmuję.

Marcel odpieczętował paczkę i zapalił. Sięgnąłem po literatkę, otworzyłem wino. Siara jak się patrzy, tak że natychmiast zakręciło mi się w głowie. Marcel też łyknął i powiedział, że nie dziwi się, że nauczycielka polskiego zwala wszystko na mnie, przecież mam zawsze taką znudzoną minę.

– Też by mnie szlag trafił, jakby ktoś całą lekcję patrzył się na mnie jak obrażony – stwierdził.

Teraz patrzę na Marcela i zastanawiam się, co on pierdoli, co on gada. Chyba coś mu się we łbie pomieszało. Powiedziałem, że jestem zmęczony, żeby sobie poszedł, zresztą nie mam pojęcia, co jest zadane, lepiej, żeby Pelcię zapytał, ona zawsze taka uważna na każdej lekcji.

– Ale wino możemy dopić, lepiej będzie mi się z nią rozmawiało! – krzyknął z pretensją i ze złością spojrzał, jakby się odbił od ziemi, nagle opadł i przytulił się, pocałował mnie w czoło...

– Weź to wino, z nią dopijesz.

Tak czy owak zostałem sam. Zostaję sam. Ponownie. Czy naprawdę to jest mi potrzebne do szczęścia? Lęk przed spokojnym życiem odzywa się co wieczór tuż przed snem. Utracony raj ze starych fotografii o zapachu świeżo upranej powłoczki na poduszki, pełen filcowych myśli. Wyszedłem przed dom i stanąłem na ganku. Już wiem, że nie zdążę nic zrobić przed pochodem maszerującego zmierzchu. Nadeszła noc. Teraz w świetle ulicznej latarni zauważyłem zwał węgla na podworcu – jego czerń nie oddaje prawdziwego koloru nieba. Ciekaw jestem, czy ktoś mi pomoże jutro znieść opał do piwnicy.

SPIS TREŚCI

WYDAWNICTWO CZARNE sp. z o.o.
czarne.com.pl

f Wydawnictwo Czarne
◎ @wydawnictwoczarne

Sekretariat i dział sprzedaży:
ul. Węgierska 25A, 38-300 Gorlice
tel. +48 18 353 58 93

Redakcja: Wołowiec 11, 38-307 Sękowa

Dział promocji:
ul. Marszałkowska 43/1, 00-648 Warszawa
tel. +48 22 621 10 48

Skład: d2d.pl
ul. Sienkiewicza 9/14, 30-033 Kraków
tel. +48 12 432 08 52, e-mail: info@d2d.pl

Druk i oprawa: Drukarnia Read Me
ul. Olechowska 83, 92-403 Łódź (Olechów)
tel. +48 42 649 33 91

Wołowiec 2020
Wydanie I
Ark. wyd. 7,1; ark. druk. 13